KB118962

최상위 사고력을 위한 특별 학습 서비스

문제풀이 동영상
최고난도 문제를 동영상으로 제공하여 줍니다.

최상위 사고력 3B

펴낸날 [초판 1쇄] 2018년 11월 9일 [초판 2쇄] 2021년 10월 13일
펴낸이 이기열
대표저자 한헌조
펴낸곳 (주)디딤돌 교육
주소 (03972) 서울특별시 마포구 월드컵북로 122 청원선와이즈타워
대표전화 02-3142-9000
구입문의 02-322-8451
내용문의 02-323-9166
팩시밀리 02-338-3231
홈페이지 www.didimdol.co.kr
등록번호 제10-718호

구입한 후에는 철회되지 않으며 잘못 인쇄된 책은 바꾸어 드립니다.
이 책에 실린 모든 삽화 및 편집 형태에 대한 저작권은
(주)디딤돌 교육에 있으므로 무단으로 복사 복제할 수 없습니다.
Copyright © Didimdol Co. [1861830]

상위권의 기준

최상위
사고력

수학 좀 한다면

선 하나를 내리긋는 힘!

직사각형이 있습니다.
윗변의 어느 한 점과 밑변의 두 끝을 연결한
삼각형을 만듭니다.

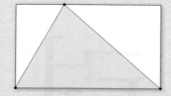

이 삼각형은 직사각형 전체 넓이의 얼마를 차지할까요?

옛 수학자가 이 문제를 푸느라
몇 날 며칠 밤, 땀을 뻘뻘 흘립니다.

그러다 문득!
삼각형의 위쪽 꼭짓점에서 수직으로 선을 하나 내리긋습니다.

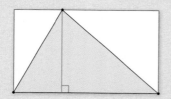

이제 모든 게 선명해집니다.
직사각형은 2개로 나뉘었고
각각의 직사각형은 삼각형의 두 변에 의해 반씩 나누어 집니다.

정답은 $\frac{1}{2}$

그러나 중요한 건 정답이 아닙니다.
문제를 해결하려 땀을 뻘뻘 흘리다, 뇌가 번쩍하며
선 하나를 내리긋는 순간!
스스로 수학적 개념을 발견하는 놀라움!

삼각형, 직사각형의 넓이 구하는 공식을 달달 외워
기계적으로 문제를 푸는 것이 아닌

진짜 수학적 사고력이란 이런 것입니다.
문제에 부딪혔을 때, 문제를 해결하는 과정 속에서
스스로 수학적 개념을 발견하고 해결하는 즐거움.
이러한 즐거운 체험의 연속이 수학적 사고력의 본질입니다.

선 하나를 내리긋는 놀라운 생각.
디딤돌 최상위 사고력입니다.

수학적 개념을 발견하고 해결하는 즐거운 여행

정답을 구하는 것이 목적이 아니라
생각하는 과정 자체가 목적이 되는 문제들로 구성하였습니다.

낯설지만 손이 가는 문제

어려워 보이지만 풀 수 있을 것 같은,
도전하고 싶은 마음이 생깁니다.

4-2. 모양을 겹쳐서 도형 만들기

1 겹쳐진 부분을 찾아 색칠하고 색칠한 도형의 개수를 각각 쓰시오.

삼각형 _____ 개

사각형 _____ 개

오각형 _____ 개

육각형 _____ 개

2 크기와 모양이 같은 삼각형 2개를 겹쳤을 때 겹쳐진 부분의 모양이 오각형과 육각형이 되도록 그리시오.

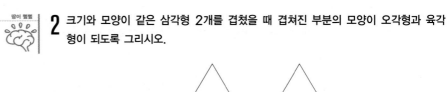

오각형   육각형

 땀이 뻘뻘

첫 번째 문제와 비슷해 보이지만 막상 풀려면
수학적 개념을 세우느라 머리에 땀이 납니다.

뇌가 번쩍

앞의 문제를 자신만의 방법으로 풀면서 뒤죽박죽 생각했던 것들이
명쾌한 수학개념으로 정리됩니다. 이제 똑똑해지는 기분이 듭니다.

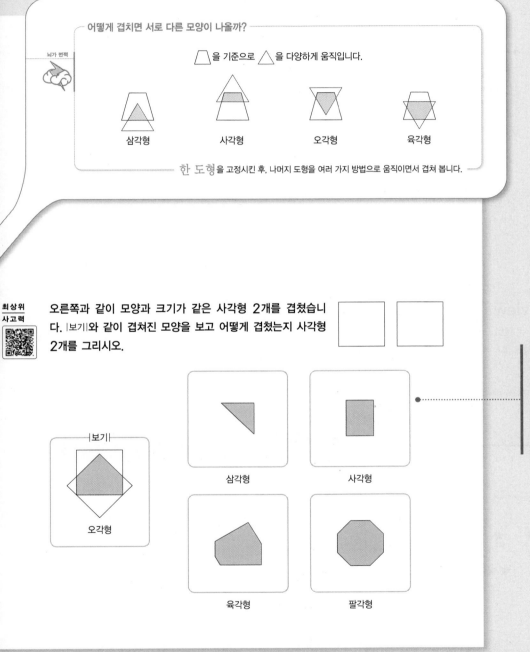

어떻게 겹치면 서로 다른 모양이 나올까?

⬭ 을 기준으로 △ 을 다양하게 움직입니다.

삼각형   사각형   오각형   육각형

한 도형을 고정시킨 후, 나머지 도형을 여러 가지 방법으로 움직이면서 겹쳐 봅니다.

최상위 사고력

오른쪽과 같이 모양과 크기가 같은 사각형 2개를 겹쳤습니다. |보기|와 같이 겹쳐진 모양을 보고 어떻게 겹쳤는지 사각형 2개를 그리시오.

|보기|

오각형

삼각형

사각형

육각형

팔각형

최상위 사고력 문제

뇌가 번쩍을 통해 알게된 개념을
다양한 관점에서
이해하고 해석해 봄으로써
한 단계 더 깊게 생각하는
힘을 기릅니다.

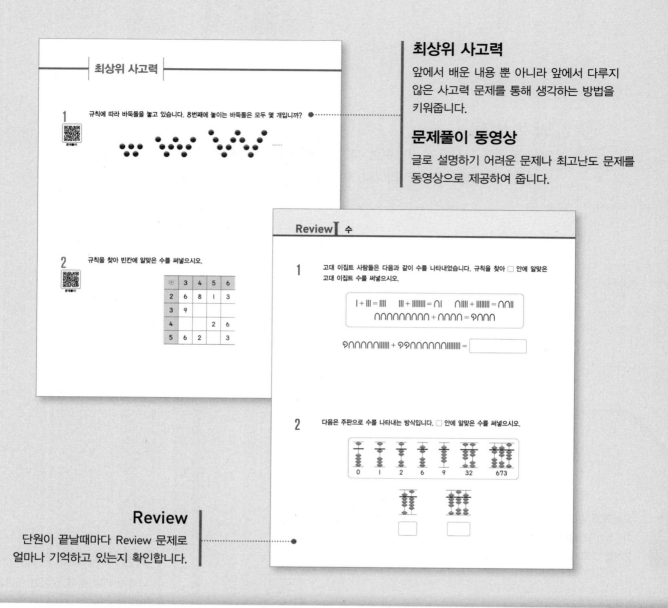

최상위 사고력

앞에서 배운 내용 뿐 아니라 앞에서 다루지 않은 사고력 문제를 통해 생각하는 방법을 키워줍니다.

문제풀이 동영상

글로 설명하기 어려운 문제나 최고난도 문제를 동영상으로 제공하여 줍니다.

Review

단원이 끝날때마다 Review 문제로 얼마나 기억하고 있는지 확인합니다.

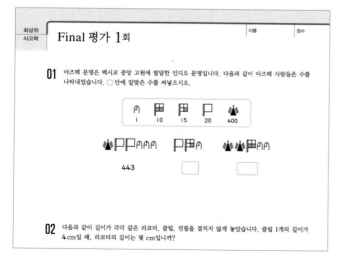

Final 평가

이 책에서 다룬 사고력 문제를 시험지 형식으로 풀어보며 실전 감각을 키웁니다.

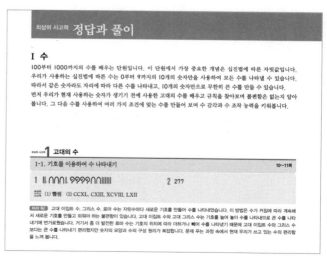

친절한 정답과 풀이

단원 배경 설명, 저자 톡!을 통해 문제를 선정하고 배치한 이유를 알려줍니다. 문제마다 좀 더 보기 쉽고, 이해하기 쉽게 설명하려고 하였습니다.

contents

연산(1)

I

1-1. 큰 곱, 작은 곱

1 수 카드 2 , 3 , 5 , 8 을 한 번씩 사용하여 곱셈식을 만들려고 합니다. 계산 결과에 맞게 ☐ 안에 알맞은 수를 써넣으시오.

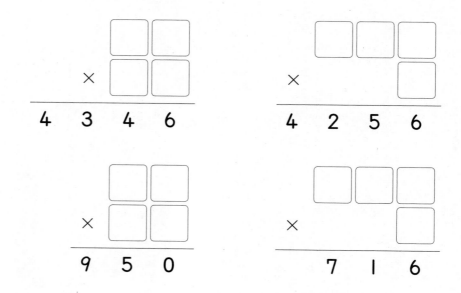

2 주어진 수 카드 4장을 한 번씩 사용하여 두 수의 곱셈식을 만들 때 계산 결과가 가장 큰 값을 구하시오.

3   4   5   6

수 카드 4장을 한 번씩 사용하여 (두 자리 수)×(두 자리 수)를 가장 크게 만들려면?

① 십의 자리에 가장 큰 수와 두 번째로 큰 수를 써넣습니다.

$$\begin{array}{r} 4\,\square \\ \times\ 3\,\square \\ \hline \end{array}$$

② 일의 자리에 남은 수 중 더 큰 수를 십의 자리의 가장 큰 수와 곱해지도록 써넣습니다.

$$\begin{array}{r} 4\,1 \\ \times\ 3\,2 \\ \hline 1\,3\,1\,2 \end{array}$$

높은 자리에 큰 수의 곱이 들어가도록 수를 써넣습니다.

최상위 사고력

주어진 수 카드 중에서 4장을 골라 한 번씩 사용하여 두 수의 곱셈식을 만들려고 합니다. 물음에 답하시오.

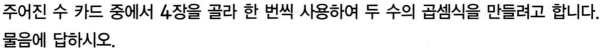

(1) 계산 결과가 가장 큰 값과 가장 작은 값을 차례로 구하시오.

(2) 계산 결과가 두 번째로 큰 값을 구하시오.

정답과 풀이 10쪽 ▶

1-2. 규칙 찾기

1 규칙을 찾아 빈 곳에 알맞은 수를 써넣으시오.

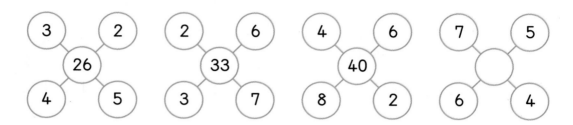

2 |보기|를 보고 규칙을 찾아 다음을 계산하시오.

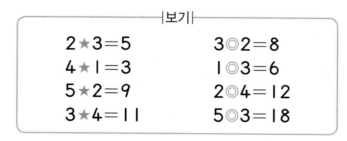

┤보기├

$2 ★ 3 = 5$ $3 ◎ 2 = 8$
$4 ★ 1 = 3$ $1 ◎ 3 = 6$
$5 ★ 2 = 9$ $2 ◎ 4 = 12$
$3 ★ 4 = 11$ $5 ◎ 3 = 18$

(1) $5 ★ 6 ◎ 3$

(2) $6 ◎ 7 ★ 29$

TIP 주어진 기호의 순서에 따라 앞에서부터 차례로 계산합니다.

모양이 나타내는 규칙을 어떻게 찾을까?

$2 ▲ 1 = 2$
$2 ▲ 3 = 4$
$4 ▲ 6 = 9$

① 한 가지 연산 규칙으로 적용하기

$2 + 1 = 3$ $2 + 3 = 5$ $4 + 6 = 10$ (×)

$2 - 1 = 1$ $3 - 2 = 1$ $6 - 4 = 2$ (×)

$2 × 1 = 3$ $2 × 3 = 6$ $4 × 6 = 24$ (×)

② ①의 계산 결과에 어떤 수를 더하거나 빼기

$2 + 1 - 1 = 2$ $2 + 3 - 1 = 4$ $4 + 6 - 1 = 9$

$+$, $-$, $×$를 사용하여 규칙을 찾습니다.

최상위 사고력

|보기|를 보고 규칙을 찾아 ☐ 안에 알맞은 수를 써넣으시오.

|보기|

$\begin{vmatrix} 4 & 1 \\ 5 & 2 \end{vmatrix} = 3$ $\begin{vmatrix} 5 & 3 \\ 2 & 4 \end{vmatrix} = 14$ $\begin{vmatrix} 4 & 6 \\ 3 & 7 \end{vmatrix} = 10$

(1) $\begin{vmatrix} 8 & 5 \\ 17 & 25 \end{vmatrix} = \boxed{}$

(2) $\begin{vmatrix} 16 & 10 \\ \boxed{} & 15 \end{vmatrix} = 120$

1-3. 여러 가지 곱셈 방법

땀이 뻘뻘

1 고대 이집트에서 사용했던 곱셈 방법입니다. 규칙을 찾아 고대 이집트의 곱셈 방법으로 다음을 계산하시오.

$$21 \times 35 \quad \Rightarrow \quad 21 \times 35 \quad \Rightarrow \quad 21 \times 35 = 735$$

1	35
2	70
4	140
8	280
16	560

×2 각 단계마다 ×2

1	35
2	70
4	140
8	280
16	560

└ 1+4+16=21

1	**35**
2	70
4	**140**
8	280
16	**560**

735

└ 35+140+560 =735

(1) 14×37

(2) 25×42

고대 이집트의 곱셈 방법에는 어떤 원리가 숨어 있을까?

$$21 \times 35 = (1 + 4 + 16) \times 35$$
$$= 1 \times 35 + 4 \times 35 + 16 \times 35$$
$$= 35 + 140 + 560$$
$$= 735$$

분배법칙이 숨어 있습니다.

러시아 농부들이 사용했던 곱셈 방법입니다. 규칙을 찾아 러시아 농부들의 곱셈 방법으로 다음을 계산하시오.

| 21 × 15 | ➡ | 21 × 15 | ➡ | 21 × 15 = 315 |

21	15	×2
10	30	×2
5	60	×2
2	120	×2
1	240	×2

└ 곱해지는 수부터 몫이 1이 될 때까지 2로 나누어 몫을 씁니다.

21	15
10	30
5	60
2	120
1	240

└ 홀수를 찾습니다.

21	**15**
10	30
5	**60**
2	120
1	**240**

315

└ 15+60+240 =315

(1) 17×24

(2) 26×37

정답과 풀이 13쪽 ▶

1 다음과 같은 규칙으로 수를 써넣으려고 합니다. 물음에 답하시오.

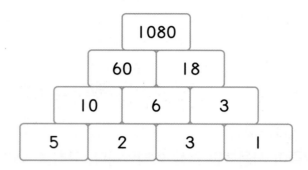

(1) 1, 2, 3, 4를 제일 아래 칸에 한 번씩 써넣어 가장 위쪽의 수가 가장 큰 수가 되도록 만드시오.

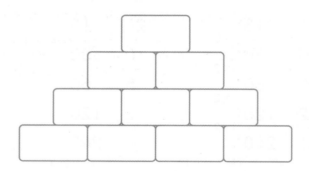

(2) 1, 2, 3, 4를 제일 아래 칸에 한 번씩 써넣어 가장 위쪽의 수가 가장 작은 수가 되도록 만드시오.

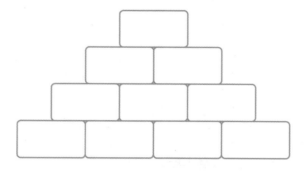

2 주어진 수 카드 중에서 4장을 골라 한 번씩 사용하여 두 수의 곱셈식을 만들 때 계산 결과가 세 번째로 작은 값을 구하시오.

$$\boxed{5} \quad \boxed{4} \quad \boxed{2} \quad \boxed{2} \quad \boxed{8}$$

| 경시대회 기출 |

3 보기를 보고 규칙을 찾아 □ 안에 알맞은 수를 써넣으시오.
(앞에서부터 차례로 계산합니다. □ 안의 수는 자연수입니다.)

┌─────────────── 보기 ───────────────┐
$3 \blacklozenge 1 = 10$　　$2 \blacklozenge 4 = 20$　　$6 \blacklozenge 3 = 45$
$3 \triangledown 5 = 4$　　$6 \triangledown 4 = 5$　　$6 \triangledown 8 = 7$
└─────────────────────────────────────┘

(1) $12 \triangledown 6 \blacklozenge 8 = \boxed{}$

(2) $\boxed{} \blacklozenge 8 \triangledown 24 = 94$

2-1. 연속수의 합

1 가우스가 ㅣ부터 ㅣ00까지의 수의 합을 구한 방법입니다. 가우스의 방법으로 다음을
└─── 어린 시절부터 새로운 방식으로 문제를 풀어
계산하시오. 천재 수학자로 인정을 받은 독일의 수학자입니다.

$$\begin{array}{c} 1+\ \ 2+\ \ 3+\cdots\cdots+\ 98+\ 99+100 \\ +)\ 100+\ 99+\ 98+\cdots\cdots+\ \ 3+\ \ 2+\ \ 1 \\ \hline 101+101+101+\cdots\cdots+101+101+101 \\ \underbrace{\hspace{6cm}}_{100개} \end{array}$$

➡ $101 \times 100 \div 2 = 5050$

(1) ㅣㅣ부터 **70**까지의 수의 합

(2) **99**보다 크고 **ㅣ4ㅣ**보다 작은 수의 합

2 승우가 소설책을 앞에서부터 차례로 **9**쪽 읽고, 그 쪽수의 합을 구했더니 ㅣ80이었
습니다. 승우가 읽은 부분의 마지막 쪽수를 구하시오.

연속수의 합을 간단히 나타내는 방법은?

• 연속수가 홀수 개인 경우

$$12+13+⑭+15+16$$
$$=14×5$$

➡ (중간 수)×(수의 개수)

• 연속수가 짝수 개인 경우

$$11+12+13+14+15+16$$
$$=(13+14)×6÷2$$

➡ (중간 두 수의 합)×(수의 개수)÷2

연속수가 **홀수** 개인 경우와 **짝수** 개인 경우로 나누어 생각합니다.

**최상위
사고력
A**

1부터 ★까지의 연속수 중에서 짝수의 합은 90이고, 홀수의 합은 100입니다. ★에 알맞은 수를 구하시오.

**최상위
사고력
B**

수를 일정한 규칙으로 배열한 것입니다. 20행의 수를 모두 더하면 얼마인지 구하시오.

1행 — 1

2행 — 2 3

3행 — 4 5 6

4행 — 7 8 9 10

5행 — 11 12 13 14 15

⋮

정답과 풀이 15쪽 ▶

2-2. 수 배열표의 합

1 수 배열표에서 색칠한 부분의 수의 합을 구하시오.

(1)

11	12	13	14	15	16	17	18	19	20
21	22	23	24	25	26	27	28	29	30
31	32	33	34	35	36	37	38	39	40
41	42	43	44	45	46	47	48	49	50
51	52	53	54	55	56	57	58	59	60
61	62	63	64	65	66	67	68	69	70
71	72	73	74	75	76	77	78	79	80

(2)

1	2	3	4	5	6	7	8	9	10
2	3	4	5	6	7	8	9	10	11
3	4	5	6	7	8	9	10	11	12
4	5	6	7	8	9	10	11	12	13
5	6	7	8	9	10	11	12	13	14
6	7	8	9	10	11	12	13	14	15
7	8	9	10	11	12	13	14	15	16
8	9	10	11	12	13	14	15	16	17
9	10	11	12	13	14	15	16	17	18

수 배열표에서 수의 합을 간단히 구하는 방법은?

방법1	가로줄을 이용하기

+10

21	22	23
31	32	33

21+22+23=66
➡ 66×2+10×3=162

방법2	세로줄을 이용하기

21	22	23
31	32	33

22+32=54
➡ 54×3=162

방법3	끝의 수를 이용하기

21	22	23
31	32	33

21+33=54
➡ 54×3=162

반복되는 합의 규칙을 찾아 곱을 이용합니다.

최상위
사고력

수 배열표에서 색칠한 부분의 수의 합을 구하시오.

1	2	3	4	5	6	7	8	9	10	11	12	13
14	15	16	17	18	19	20	21	22	23	24	25	26
27	28	29	30	31	32	33	34	35	36	37	38	39
40	41	42	43	44	45	46	47	48	49	50	51	52
53	54	55	56	57	58	59	60	61	62	63	64	65
66	67	68	69	70	71	72	73	74	75	76	77	78
79	80	81	82	83	84	85	86	87	88	89	90	91
92	93	94	95	96	97	98	99	100	101	102	103	104

2-3. 연속된 홀수, 짝수의 합

1 다음은 1부터 연속된 홀수의 합을 구할 때 이용하는 그림입니다. 물음에 답하시오.

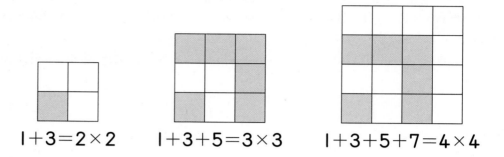

$1+3=2\times2$　　　　$1+3+5=3\times3$　　　　$1+3+5+7=4\times4$

(1) $1+3+5+7+9+11$을 구하기 위한 그림을 그리고, 계산 결과를 두 수의 곱으로 나타내시오.

(2) $1+3+5+\cdots\cdots+29+31+33$의 계산 결과를 구하시오.

2 1부터 어떤 홀수까지 연속된 홀수의 합을 구했더니 441이 되었습니다. 어떤 홀수는 얼마인지 구하시오.

다음은 2부터 10까지의 연속된 짝수의 합을 구할 때 이용하는 그림입니다.
$2+4+\cdots\cdots+28+30$의 계산 결과를 구하시오.

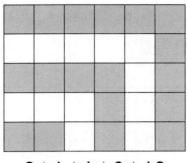

$$2+4+6+8+10$$

|보기|는 50보다 크고 100보다 작은 연속된 홀수의 합을 구한 것입니다. 100보다 크고
200보다 작은 연속된 홀수의 합과 짝수의 합을 차례로 구하시오.

|보기|

$$51+53+\cdots\cdots+97+99$$
$$=(1+3+\cdots\cdots+97+99)-(1+3+\cdots\cdots+47+49)$$
$$=(50\times50)-(25\times25)$$
$$=2500-625$$
$$=1875$$

정답과 풀이 17쪽 ▶

1 |경시대회 기출|

수 배열표에서 색칠한 부분의 수의 합을 구하시오.

1	2	3	4	5	6	7	8	9	10
11	12	13	14	15	16	17	18	19	20
21	22	23	24	25	26	27	28	29	30
31	32	33	34	35	36	37	38	39	40
41	42	43	44	45	46	47	48	49	50
51	52	53	54	55	56	57	58	59	60
61	62	63	64	65	66	67	68	69	70
71	72	73	74	75	76	77	78	79	80

2 |보기|를 보고 다음을 계산하시오.

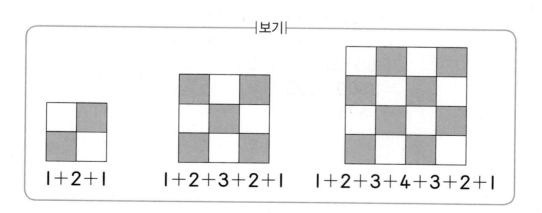

|보기|

$1+2+1$ $1+2+3+2+1$ $1+2+3+4+3+2+1$

$$1+2+3+\cdots+9+10+9+\cdots+3+2+1$$

3 300부터 400까지의 연속된 홀수의 합과 짝수의 합과의 차를 구하시오.

4 |보기|를 보고 규칙을 찾아 주어진 식이 성립하도록 ◇ 안에 알맞은 수를 써넣으시오.

$$\langle 1 \rangle = 1$$
$$\langle 2 \rangle = 1+3$$
$$\langle 3 \rangle = 1+3+5$$
$$\langle 4 \rangle = 1+3+5+7$$
$$\langle 5 \rangle = 1+3+5+7+9$$
$$\vdots$$

(1) $\langle 6 \rangle + \langle 8 \rangle = \langle \ \rangle$

(2) $\langle 13 \rangle - \langle 12 \rangle = \langle \ \rangle$

정답과 풀이 18쪽 ▶

3-1. 벌레 먹은 셈

1 다음 곱셈식이 성립하도록 두 가지 방법으로 ☐ 안에 알맞은 수를 써넣으시오.

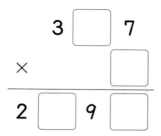

2 다음 곱셈식이 성립하도록 2, 3, 4, 5, 6, 7의 수를 ☐ 안에 알맞게 써넣으시오.

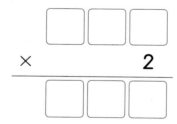

벌레 먹은 셈을 풀기 위해 알고 있어야 할 것은?

뇌가 번쩍

① 곱셈구구의 각 단의 일의 자리 숫자

	5의 단	2, 4, 6, 8의 단	3, 7, 9의 단
일의 자리 숫자	0, 5	0, 2, 4, 6, 8	1, 2, 3, 4, 5, 6, 7, 8, 9

② 자신을 곱하였을 때 일의 자리에 자신이 나오는 수

$$1 \times 1 = 1 \qquad 5 \times 5 = 25 \qquad 6 \times 6 = 36$$

곱셈구구에서 각 단의 특징을 생각합니다.

최상위
사고력

다음 곱셈식이 성립하도록 ☐ 안에 알맞은 수를 써넣으시오.

```
      2 ☐
    × ☐ ☐
    ─────────
      ☐ 1
    ☐ ☐ 2
    ─────────
    ☐ ☐ 0 ☐
```

   정답과 풀이 19쪽 ▶

3-2. 복면산

1 다음 곱셈식에서 같은 문자는 같은 수를, 다른 문자는 다른 수를 나타냅니다. 물음에
답하시오.

$$
\begin{array}{r}
A\ B \\
\times\ A\ B \\
\hline
C\ A\ B \\
B\ D\ B \\
\hline
B\ E\ D\ B
\end{array}
$$

(1) 일의 자리 계산부터 생각하여 B에 알맞은 수를 모두 구하시오.

(2) A, B, C, D, E에 알맞은 수를 차례로 구하시오.

다음 곱셈식에서 같은 문자는 같은 수를, 다른 문자는 다른 수를 나타냅니다. A, B, C
에 알맞은 수를 차례로 구하시오.

정답과 풀이 20쪽 ▶

$$
\begin{array}{r}
A\ B \\
\times\ A\ B \\
\hline
B\ C \\
A\ B \\
\hline
A\ C\ C
\end{array}
$$

다음 곱셈식에서 ㉠에 알맞은 수를 구하시오.

$$38 \times 4㉠ = 57 \times ㉠8$$

정답과 풀이 20쪽 ▶

3-3. 조건에 맞는 수

1 세 자리 수와 한 자리 수의 합이 300, 곱이 1184일 때 세 자리 수를 구하시오.

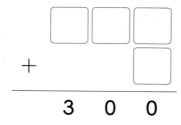 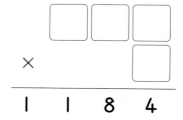

2 두 자리 수와 두 자리 수의 차가 1, 곱이 1406일 때 두 수의 합을 구하시오.

조건에 맞는 수를 구하는 방법은?

$A-B=1$
$A \times B=132$

$\underset{(=10 \times 10)}{100} < 132 < \underset{(=12 \times 12)}{144}$

➡ $11 \times 12=132$이므로 $A=12$, $B=11$입니다.

곱하는 수를 각각 어림한 후 계산합니다.

최상위
사고력

어떤 두 자리 수의 일의 자리 숫자와 십의 자리 숫자를 바꾸었더니 처음 수보다 더 커졌습니다. 처음 수와 바꾼 수의 곱이 2944일 때 처음 수를 구하시오.

1 다음 곱셈식에서 같은 문자는 같은 수를, 다른 문자는 다른 수를 나타냅니다. N, G, O에
알맞은 수를 차례로 구하시오.

$$
\begin{array}{r}
G\ O \\
\times\ G\ O \\
\hline
N\ G\ O
\end{array}
$$

2 수학책을 펼쳐 두 면의 쪽수를 곱하였더니 7482가 나왔습니다. 두 면의 쪽수를 각각
구하시오.

3 다음 곱셈식이 성립하도록 두 가지 방법으로 ☐ 안에 알맞은 수를 써넣으시오.

$$
\begin{array}{r}
4\ \boxed{}\ 2 \\
\times\qquad \boxed{} \\
\hline
3\ \boxed{}\ 5\ \boxed{}
\end{array}
\qquad\qquad
\begin{array}{r}
4\ \boxed{}\ 2 \\
\times\qquad \boxed{} \\
\hline
3\ \boxed{}\ 5\ \boxed{}
\end{array}
$$

| 경시대회 기출 |

4 다음 식에서 ㉠, ㉡, ㉢, ㉣은 서로 다른 한 자리 수를 나타냅니다. ㉠, ㉡, ㉢, ㉣에 알맞은 수를 차례로 구하시오.

> • ㉠㉡ × ㉢㉣ = 2961
> • ㉠㉡ − ㉢㉣ = 16

1 수 카드 3 , 5 , 6 , 7 을 한 번씩 사용하여 곱셈식을 만들려고 합니다. 계산 결과에 맞게 ☐ 안에 알맞은 수를 써넣으시오.

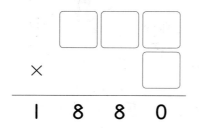

2 규칙을 찾아 ㉠에 알맞은 수를 구하시오.

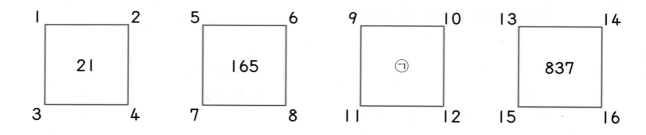

3 다음을 계산하시오.

(1) $1+3+5+\cdots\cdots+25+27+29$

(2) $2+4+6+\cdots\cdots+44+46+48$

4 수 배열표에서 색칠한 부분의 수의 합을 구하시오.

21	22	23	24	25	26	27	28	29	30
31	32	33	34	35	36	37	38	39	40
41	42	43	44	45	46	47	48	49	50
51	52	53	54	55	56	57	58	59	60
61	62	63	64	65	66	67	68	69	70
71	72	73	74	75	76	77	78	79	80
81	82	83	84	85	86	87	88	89	90

5 1부터 5까지의 수 중에서 4개를 골라 □ 안에 한 번씩 써넣어 계산하려고 합니다. 계산 결과가 가장 큰 값과 두 번째로 큰 값을 차례로 구하시오.

6 다음 곱셈식에서 같은 문자는 같은 수를, 다른 문자는 다른 수를 나타냅니다. A, B, C에 알맞은 수를 차례로 구하시오.

$$
\begin{array}{r}
A\ B \\
\times\ B\ A \\
\hline
1\ 1\ 4 \\
A\ C\ 4\ \ \\
\hline
A\ 1\ 5\ 4 \\
\end{array}
$$

연산(2)

Ⅲ

4-1. 벌레 먹은 나눗셈식

1 ☐ 안에 알맞은 수를 써넣어 **3가지** 방법으로 나눗셈식을 완성하시오.

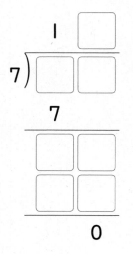　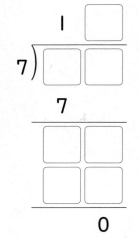　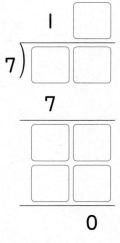

2 ☐ 안에 알맞은 수를 써넣어 나눗셈식을 완성하시오.

벌레 먹은 나눗셈식은 어떻게 풀어야 할까?

$$\begin{array}{r} 1\;㉢ \\ ㉠\,)\overline{\;8\;\;4\;} \\ ㉡ \\ \hline 1\;4 \\ 1\;4 \\ \hline 0 \end{array}$$

① 8−㉡=1, ㉡=7
② ㉠×1=7, ㉠=7
③ 7×㉢=14, ㉢=2

먼저 알 수 있는 □부터 써넣습니다.

최상위 사고력

다음은 어떤 수를 6으로 나눈 나눗셈식입니다. 나누어지는 수가 될 수 있는 수를 모두 구하시오.

$$\begin{array}{r} \square\;\square \\ 6\,)\overline{\;3\;\square\;\square\;} \\ \square\;\square \\ \hline 1\;\square \\ \square\;\square \\ \hline 4 \end{array}$$

4-2. 나머지가 될 수 있는 수

1 다음 나눗셈식에서 몫과 나머지가 같을 때 □ 안에 들어갈 수 있는 수를 모두 구하시오.

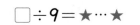

$$\square \div 9 = \bigstar \cdots \bigstar$$

2 30을 어떤 수로 나누었을 때 나머지가 6인 나눗셈식을 모두 만드시오.

나눗셈식에서 나머지가 될 수 있는 수는?

$$\blacksquare \div 5 = \bullet \cdots \bigstar$$

➡ ★이 될 수 있는 수는 나누는 수인 **5**보다 작은 **0, 1, 2, 3, 4**입니다.
이때 나머지가 **0**인 경우는 나누어떨어질 때입니다.

—— 나머지는 나누는 수보다 작습니다. ——

어떤 수를 40으로 나누어야 할 것을 잘못하여 4로 나누었더니 몫과 나머지가 바뀌었습니다. 어떤 수가 될 수 있는 수 중 가장 작은 수를 구하시오.

4-3. 수 카드로 나눗셈식 만들기

1 주어진 수 카드 중에서 3장을 골라 (두 자리 수)÷(한 자리 수)인 나눗셈식을 만들 때 나머지가 2인 나눗셈식을 모두 쓰시오.

땀이 뻘뻘

2 주어진 수 카드 중에서 3장을 골라 (두 자리 수)÷(한 자리 수)인 나눗셈식을 만들려고 합니다. 물음에 답하시오.

(1) 몫이 가장 크게 되는 나눗셈식을 쓰시오.

(2) 나머지가 가장 크게 되는 나눗셈식을 한 가지만 쓰시오.

주어진 수 카드를 한 번씩 사용하여 만들 수 있는 세 자리 수 중에서 5로 나누어떨어지는 수는 모두 몇 개인지 구하시오.

$$3 \quad 4 \quad 5 \quad 7 \quad 0$$

수 카드 1 , 2 , 3 , 4 , 5 , 6 이 여러 장씩 있습니다. 이 수 카드로 다음과 같은 나눗셈식을 만들었습니다. 두 자리 수 ㉠㉡에 알맞은 수 중에서 가장 큰 수를 구하시오.

$$㉠㉡ \div ㉢ = ㉣ \cdots 4$$

정답과 풀이 29쪽 ▶

1 □ 안에 알맞은 수를 써넣어 나눗셈식을 완성하시오.

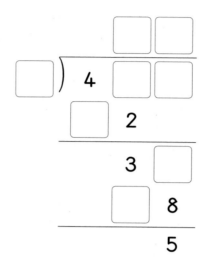

| 경시대회 기출 |

2 ㉠, ㉡, ㉢, ㉣은 1부터 9까지의 서로 다른 수이고, ㉢이 ㉣보다 클 때 ㉠㉡÷㉢=㉣ 인 나눗셈식은 모두 몇 개인지 구하시오.

3 ㉠에 알맞은 수 중에서 가장 작은 수를 구하시오.

$$㉠ \div ㉡ = 28 \cdots 4$$

4 다음은 고대 이집트에서 사용했던 나눗셈 방법입니다. 규칙을 찾아 고대 이집트의 나눗셈 방법으로 다음을 계산하시오.

$63 \div 7$		➡	$63 \div 7$		➡	$63 \div 7 = 9$	
1	7		1	**7**		**1**	7
2	14		2	14		2	14
4	28		4	28		4	28
8	56		8	**56**		**8**	56

$\times 2$ 표시 (왼쪽 표, 각 행 사이 ×2)

$7 + 56 = 63$

9
$1 + 8 = 9$

(1) $42 \div 6$

(2) $96 \div 8$

정답과 풀이 31쪽 ▶

5-1. 수 배열과 수 찾기

1 수 배열표에서 주어진 모양으로 묶은 수의 합이 다음과 같도록 알맞은 칸을 찾아 색칠하시오. (단, 주어진 모양을 돌리거나 뒤집지 않습니다.)

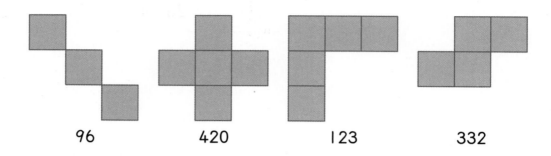

1	2	3	4	5	6	7	8	9	10
11	12	13	14	15	16	17	18	19	20
21	22	23	24	25	26	27	28	29	30
31	32	33	34	35	36	37	38	39	40
41	42	43	44	45	46	47	48	49	50
51	52	53	54	55	56	57	58	59	60
61	62	63	64	65	66	67	68	69	70
71	72	73	74	75	76	77	78	79	80
81	82	83	84	85	86	87	88	89	90
91	92	93	94	95	96	97	98	99	100

수 배열표에서 주어진 모양으로 묶은 수의 합을 구하려고 합니다. 다음 중 합이 될 수 없는 수를 모두 고르시오. (단, 주어진 모양을 돌리거나 뒤집지 않습니다.)

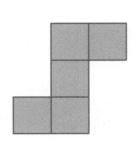

1	2	3	4	5	6	7	8	9	10
11	12	13	14	15	16	17	18	19	20
21	22	23	24	25	26	27	28	29	30
31	32	33	34	35	36	37	38	39	40
41	42	43	44	45	46	47	48	49	50

① 75   ② 118   ③ 120   ④ 190   ⑤ 200

달력에서 직사각형 모양으로 4개의 날짜를 묶어 모두 더하려고 합니다. 4개의 날짜의 합이 54인 직사각형 모양을 모두 찾을 때 그중에서 가장 빠른 날짜는 며칠인지 구하시오.

일	월	화	수	목	금	토
			1	2	3	4
5	6	7	8	9	10	11
12	13	14	15	16	17	18
19	20	21	22	23	24	25
26	27	28	20	30		

5-2. 어떤 수 구하기

1 |조건|에 맞는 수를 구하시오.

> |조건|
> · 30보다 크고 49보다 작습니다.
> · 이 수보다 3 작은 수는 5로 나누어떨어집니다.
> · 8로 나누어떨어집니다.

2 어떤 두 자리 수를 7로 나누면 몫은 두 자리 수이고, 나머지는 4입니다. 어떤 두 자리 수를 모두 구하시오.

나눗셈 문제에서 어떤 수를 구하는 방법은?

예 어떤 수를 5로 나누면 몫은 가장 큰 두 자리 수이고, 나머지는 2입니다.

① 나눗셈식 만들기
$$\square \div 5 = 99 \cdots 2$$
가장 큰 두 자리 수

➡

② 곱셈식으로 바꿔 어떤 수 구하기
$$\square = 5 \times 99 + 2$$
$$= 495 + 2$$
$$= 497$$

—— 곱셈으로 바꿔 어떤 수를 구합니다.

최상위 사고력

민희는 일의 자리 숫자가 0인 두 자리 수를 생각하고 다음과 같은 순서로 계산하였습니다. 계산 마지막 과정에서 나누어떨어졌다고 할 때 민희가 생각한 수를 구하시오.

> ① 민희가 생각한 수에 오른쪽으로 9를 이어 씁니다.
> ② ①의 결과에서 150을 뺍니다.
> ③ ②의 결과를 7로 나눕니다.

5-3. 조건에 맞는 수

1 |조건|에 맞는 수를 구하시오.

> ┤조건├
> • 5로 나누면 나머지가 2입니다.
> • 7로 나누면 나머지가 3입니다.
> • 80보다 크고 90보다 작습니다.

2 은수가 친구들에게 사탕을 똑같이 나누어 주려고 합니다. 4명에게 나누어 주면 2개가 남고, 5명에게 나누어 주어도 2개가 남습니다. 은수가 가진 사탕이 2개보다 많고 40개보다 적다고 할 때 은수가 가진 사탕은 몇 개인지 구하시오.

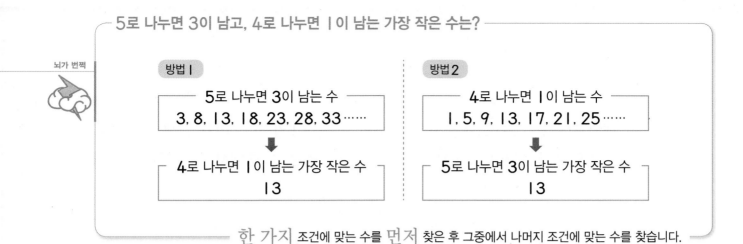

5로 나누면 3이 남고, 4로 나누면 1이 남는 가장 작은 수는?

방법 1

5로 나누면 3이 남는 수
3, 8, 13, 18, 23, 28, 33 ······

↓

4로 나누면 1이 남는 가장 작은 수
13

방법 2

4로 나누면 1이 남는 수
1, 5, 9, 13, 17, 21, 25 ······

↓

5로 나누면 3이 남는 가장 작은 수
13

한 가지 조건에 맞는 수를 먼저 찾은 후 그중에서 나머지 조건에 맞는 수를 찾습니다.

최상위
사고력

다음을 읽고 민수의 물음에 대한 답을 구하시오.

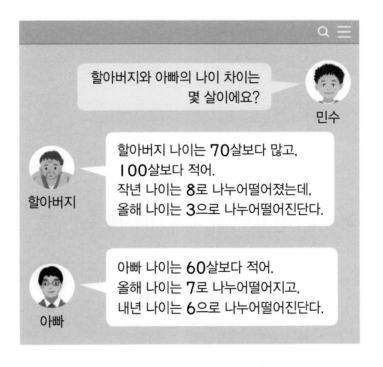

할아버지와 아빠의 나이 차이는 몇 살이에요?

민수

할아버지 나이는 70살보다 많고, 100살보다 적어.
작년 나이는 8로 나누어떨어졌는데, 올해 나이는 3으로 나누어떨어진단다.

할아버지

아빠 나이는 60살보다 적어.
올해 나이는 7로 나누어떨어지고, 내년 나이는 6으로 나누어떨어진단다.

아빠

1 수 배열표에서 □으로 묶은 9개의 수의 합은 81입니다. 이와 같은 방법으로 9개의 수를 □으로 묶었더니 그 합이 279였습니다. 묶은 수 중에서 가장 큰 수를 구하시오.

		1	2	3	4	5
6	7	8	9	10	11	12
13	14	15	16	17	18	19

⋮

2 ㉠과 ㉡의 합을 5로 나누었을 때의 나머지를 구하시오.

> • ㉠을 5로 나누면 몫은 ㉢이고, 나머지가 2입니다.
> • ㉡을 5로 나누면 몫은 ㉢이고, 나머지가 3입니다.

3 수혁이가 친구들에게 딱지를 똑같이 나누어 주려고 합니다. 5명에게 나누어 주면 1개가 부족하고, 7명에게 나누어 주어도 1개가 부족합니다. 수혁이가 가진 딱지가 50개보다 적다고 할 때 수혁이가 가진 딱지는 몇 개인지 구하시오.

4 민아가 친구들에게 꽃을 똑같이 나누어 주려고 합니다. 한 사람에게 3송이씩 나누어 주면 6송이가 남고, 4송이씩 나누어 주면 1송이가 남습니다. 민아가 가지고 있는 꽃은 몇 송이인지 구하시오.

정답과 풀이 36쪽 ▶

6-1. 가로수

땀이 뻘뻘

1 **가로수의 수를 구하려고 합니다. 물음에 답하시오.**

(1) 길이가 174 m인 직선 도로 양쪽에 6 m 간격으로 가로수를 심었습니다. 도로의 처음부터 끝까지 가로수를 심는다면 가로수는 모두 몇 그루인지 구하시오. (단, 나무의 두께는 생각하지 않습니다.)

(2) 둘레가 180 m인 원 모양의 연못에 6 m 간격으로 은행나무를 심고, 은행나무와 은행나무 사이에는 두 그루의 벚나무를 심으려고 합니다. 심어야 하는 나무는 모두 몇 그루인지 구하시오. (단, 나무의 두께는 생각하지 않습니다.)

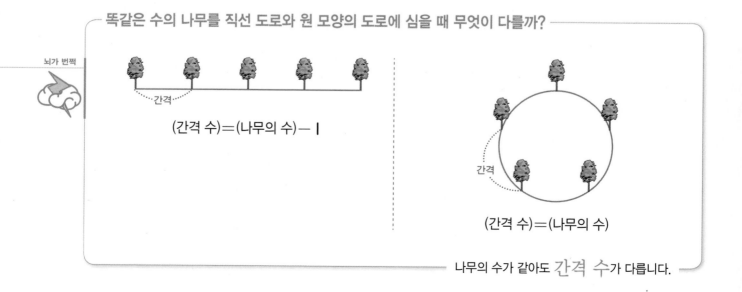

두 마을 사이의 직선 도로 한쪽에 15개의 전봇대가 36 m 간격으로 있었습니다. 전봇대가 오래되어 원래 있던 전봇대를 모두 뽑고, 새로운 전봇대 10개를 일정한 간격으로 설치하였습니다. 새로운 전봇대 사이의 간격은 몇 m인지 구하시오. (단, 전봇대의 두께는 생각하지 않습니다.)

5개의 변의 길이가 같은 오각형 모양의 공원 둘레에 일정한 간격으로 가로등을 설치하였더니 한 변에 가로등이 37개가 설치되었습니다. 이 가로등을 정사각형 모양의 공원 둘레에 일정한 간격으로 설치한다면 정사각형 모양의 공원의 한 변에는 몇 개의 가로등이 설치되는지 구하시오. (단, 가로등의 두께는 생각하지 않습니다.)

정답과 풀이 38쪽 ▶

6-2. 수와 규칙

1 일정한 규칙으로 수를 나열한 것입니다. 물음에 답하시오.

> 1, 2, 4, 6, 7, 1, 1, 2, 4, 6, 7, 1, 1, 2 ……

(1) 100번째 놓이는 수를 구하시오.

(2) 247번째까지 숫자 1은 모두 몇 번 나오는지 구하시오.

땀이 뻘뻘

2 다음 계산 결과를 5로 나누었을 때 나머지를 구하시오.

$$\underbrace{8 \times 8 \times \ \cdots\cdots \ \times 8 \times 8}_{97번}$$

4를 여러 번 곱한 값에서 찾을 수 있는 규칙은?

4의 개수	1개	2개	3개	4개	5개	6개	……
곱	4	16	64	256	1024	4096	……
곱의 일의 자리 숫자	4	6	4	6	4	6	……

─── 일의 자리 숫자가 4, 6으로 2개씩 되풀이 됩니다.

최상위
사고력

같은 수를 여러 번 곱한 수를 다음과 같이 약속합니다. 물음에 답하시오.

$$2를\ 7번\ 곱한\ 수 \Rightarrow 2^7 \qquad 5를\ 10번\ 곱한\ 수 \Rightarrow 5^{10}$$

(1) $2^{50}+3^{82}+5^{67}+4^{135}$의 일의 자리 숫자를 구하시오.

(2) $9^{365} \times 8^{276} \times 7^{400}$을 10으로 나눈 나머지를 구하시오.

정답과 풀이 39쪽 ▶

6-3. 달력

1 어느 해 1월의 달력입니다. 물음에 답하시오. (단, 같은 해 2월은 28일까지 있습니다.)

1월

일	월	화	수	목	금	토
		1	2	3	4	5
6	7	8	9	10	11	12
13	14	15	16	17	18	19
20	21	22	23	24	25	26
27	28	29	30	31		

(1) 어린이날은 무슨 요일인지 구하시오.
　　└─5월 5일

(2) 1월 1일의 100일 전은 무슨 요일인지 구하시오.

(3) 다음 해 1월 1일은 무슨 요일인지 구하시오.

3월 1일이 금요일일 때 5월 1일의 요일을 구하는 방법은?

① 각 달은 며칠까지 있는지 알아봅니다.

월	3월	4월	5월
일수	31일	30일	31일

② 나눗셈을 이용하여 요일을 구합니다.
　31÷7＝4…3이므로 4월 1일은 월요일입니다.
　30÷7＝4…2이므로 5월 1일은 수요일입니다.

━━ 달의 일수를 7로 나누어 구합니다. ━━

최상위
사고력
A

진우는 10월 달력을 보다가 다음 해 날짜와 요일이 같은 달이 있을지 궁금해졌습니다. 10월 달력과 다음 해의 몇 월 달력이 같은지 구하시오. (단, 다음 해 2월은 28일까지 있습니다.)

최상위
사고력
B

어느 해 1월 1일은 금요일입니다. 3년 뒤 1월의 첫 번째 금요일은 며칠인지 구하시오.
(단, 2월은 28일까지 있습니다.)

TIP 1년은 365일입니다. 1년 후의 1월 1일은 무슨 요일인지 알아봅니다.

1 민수와 아빠의 나이 차이는 32살입니다. 아빠의 나이가 민수의 나이의 3배가 될 때 민수의 나이는 몇 살인지 구하시오.

2 화살표의 ⊢규칙⊣에 맞게 ㉠에 알맞은 수를 구하시오.

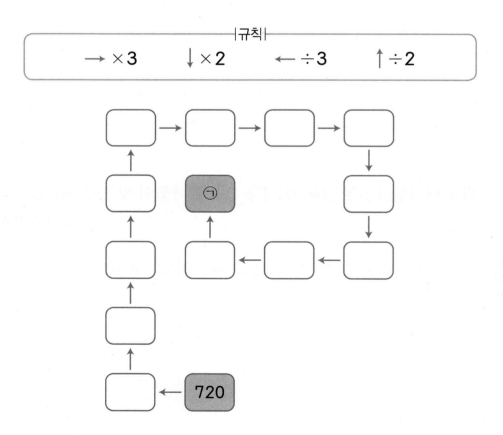

3 다음과 같이 흰 바둑돌과 검은 바둑돌을 일정한 규칙에 따라 놓습니다. 145번째까지 바둑돌을 놓을 때 흰 바둑돌과 검은 바둑돌 중에서 어느 바둑돌이 몇 개 더 많은지 구하시오.

| 경시대회 기출 |

4 2019년 삼일절은 금요일입니다. 2025년 삼일절은 무슨 요일인지 구하시오.
(단, 윤년인 해는 2월이 29일까지 있어서 366일입니다. 2020년에서 2025년까지 윤년인 해는 2020년, 2024년입니다.)

정답과 풀이 41쪽 ▶

1 □ 안에 알맞은 수를 써넣어 나눗셈식을 완성하시오.

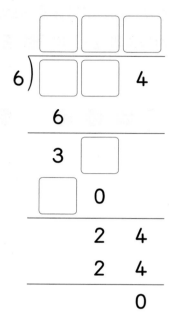

2 다음 나눗셈식에서 나누어지는 수가 가장 작을 때 □ 안에 알맞은 수를 써넣으시오.

$$\boxed{} \div \boxed{} = 48 \cdots 9$$

3 다음과 같이 7과 9를 여러 번 곱할 때 계산 결과의 일의 자리 숫자를 구하시오.

$$\underbrace{(7 \times 7 \times \cdots\cdots \times 7 \times 7)}_{88번} \times \underbrace{(9 \times 9 \times \cdots\cdots \times 9 \times 9)}_{135번}$$

4 어떤 두 자리 수를 8로 나누면 몫은 두 자리 수이고, 나머지는 3입니다. 어떤 두 자리 수를 모두 구하시오.

정답과 풀이 42쪽 ▶

5 수 배열표에서 색칠한 세 수의 합은 43입니다. 같은 모양(⌐)으로 묶은 세 수의 합이 127일 때 세 수 중 가장 큰 수와 가장 작은 수의 합을 구하시오. (단, 주어진 모양을 돌리거나 뒤집지 않습니다.)

1	8	15	22	29
2	9	16	23	30
3	10	17	24	31
4	11	18	25	32
5	12	19	26	33
6	13	20	27	34
7	14	21	28	35

......

6 원 모양의 호수 둘레에 일정한 간격으로 가로등을 세우려고 합니다. 7 m 간격으로 세울 때보다 4 m 간격으로 세울 때 가로등이 36개 더 필요하다면 호수 둘레는 몇 m인지 구하시오.

정답과 풀이 42쪽 ▶

도형

7-1. 원의 수

땀이 뻘뻘

1 다음 그림에서 찾을 수 있는 원 또는 원의 일부분은 모두 몇 개입니까?

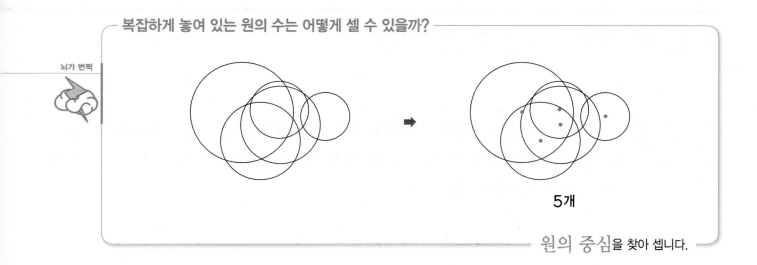

복잡하게 놓여 있는 원의 수는 어떻게 셀 수 있을까?

5개

원의 중심을 찾아 셉니다.

최상위 사고력

여러 개의 원과 원의 일부분을 이용하여 만든 모양입니다. 가, 나, 다 모양의 원의 중심의 수의 합은 모두 몇 개인지 구하시오.

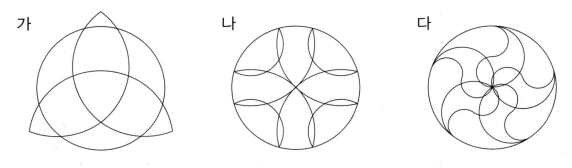

가   나   다

💡 원의 중심 중에서 겹쳐지는 곳이 있으므로 중복하여 세지 않도록 주의합니다.

정답과 풀이 45쪽 ▶

7-2. 원 위의 점을 이은 선분

1 원 위에 8개의 점이 일정한 간격으로 찍혀 있습니다. 2개의 점을 이어 선분을 그을 때 4개의 선분이 서로 만나지 않도록 모두 그으시오. (단, 모양이 같더라도 꼭짓점이 다르면 다른 것으로 봅니다.)

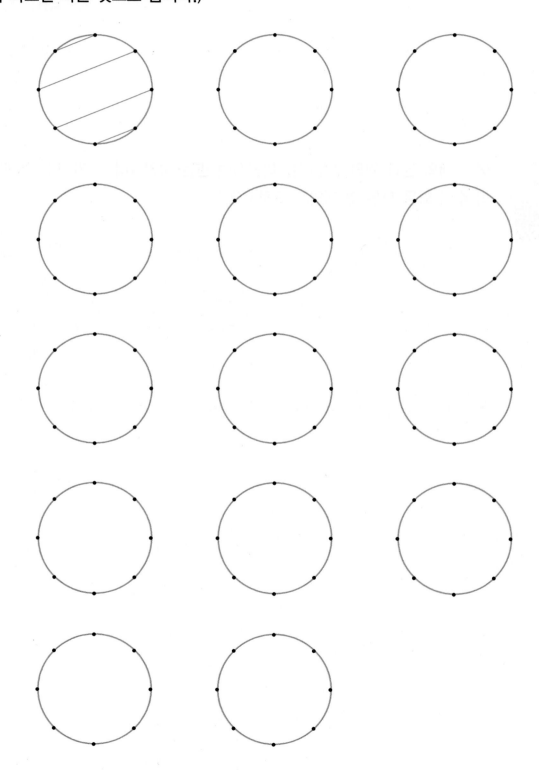

원 위의 한 점에서 그을 수 있는 선분의 수는?

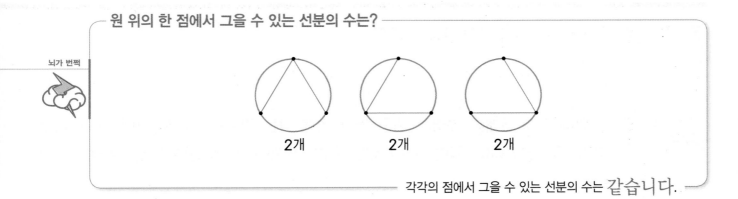

2개   2개   2개

각각의 점에서 그을 수 있는 선분의 수는 **같습니다.**

정답과 풀이 46쪽 ▶

최상위 사고력

다음과 같이 원 위의 모든 점을 이어 선분을 긋습니다. 원 위에 8개의 점이 일정한 간격으로 찍혀 있을 때 그을 수 있는 선분은 모두 몇 개인지 구하시오.

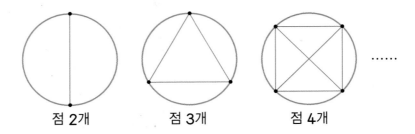

점 2개   점 3개   점 4개   ......

정답과 풀이 46쪽 ▶

7-3. 조건에 맞게 원 나누기

1 원 안에 선분 3개를 그어서 원을 가장 적게 나눈 경우는 4부분, 가장 많게 나눈 경우는 7부분입니다. 원이 나누어지는 부분에 맞게 원 안에 선분 4개를 알맞게 그으시오.

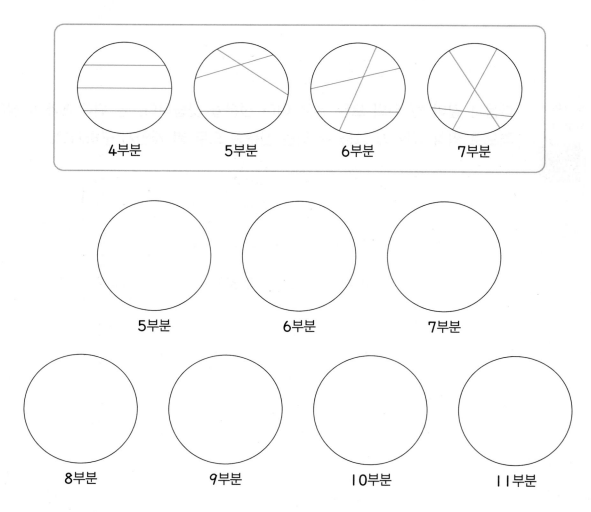

TIP 선분이 서로 많이 만날수록 나누어지는 부분의 수가 많아집니다.

원에 선분을 그어 최소, 최대로 원을 나누는 방법은?

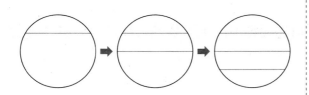

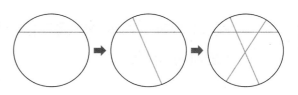

최소로 나눈 경우

먼저 그은 선분과 만나지 않게 긋습니다.

최대로 나눈 경우

먼저 그은 선분과 모두 만나게 긋습니다.

최상위 사고력

원 안에 선분 6개를 그어 원을 가장 많게 나누려고 합니다. 몇 부분으로 나눌 수 있는지 구하시오.

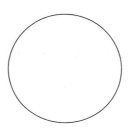

1 3개의 원과 1개의 직선을 서로 만나는 점들이 가장 많게 그리고, 만나는 점은 모두 몇 개인지 구하시오.

| 경시대회 기출 |

2 여러 개의 원과 원의 일부분을 이용하여 만든 모양입니다. 원의 중심은 모두 몇 개인지 구하시오.

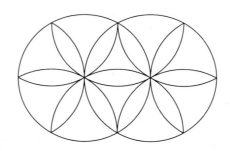

3 수지네 모둠 학생들이 일정한 간격으로 점이 찍혀 있는 원판으로 점잇기 놀이를 합니다. 다음과 같은 |규칙|으로 원판으로 점잇기 놀이를 할 때 이기는 사람의 이름을 쓰시오.

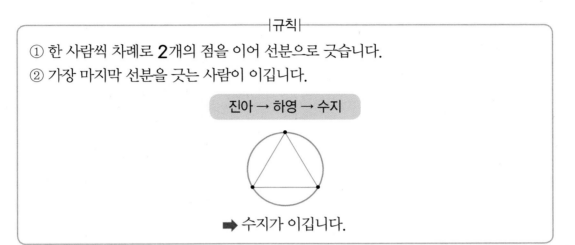

|규칙|
① 한 사람씩 차례로 **2**개의 점을 이어 선분으로 긋습니다.
② 가장 마지막 선분을 긋는 사람이 이깁니다.

진아 → 하영 → 수지

➡ 수지가 이깁니다.

(1) 수지 → 민우

(2) 하영 → 수지 → 민우 → 진아 → 동현

정답과 풀이 48쪽 ▶

8-1. 원의 지름과 반지름

1 다음 그림에서 네 원의 중심은 일직선 위에 있습니다. 선분 ㄱㄹ의 길이는 몇 cm인지 구하시오.

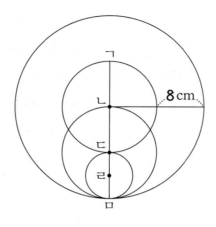

2 다음과 같이 반지름이 30 cm인 원 안에 지름이 9 cm씩 작아지는 원을 규칙적으로 그렸습니다. 가장 큰 원 안에 그릴 수 있는 원의 개수와 가장 작은 원의 반지름은 몇 cm인지 구하시오.

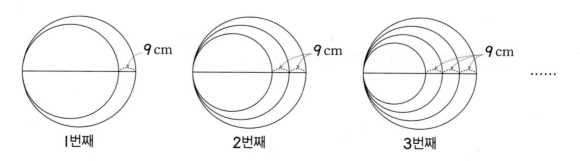

1번째　　　　2번째　　　　3번째

원의 중심을 지나는 선분의 길이는 어떻게 구할까?

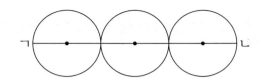

맞닿은 경우

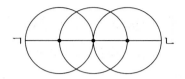

다른 원의 중심을 지나는 경우

(선분 ㄱㄴ)=(지름)×(원의 개수)
　　　　　＝(지름)×3

(선분 ㄱㄴ)=(반지름)×((원의 개수)＋1)
　　　　　＝(반지름)×4

최상위
사고력

다음과 같은 |방법|으로 원을 그릴 때 9번째 원의 반지름은 몇 cm인지 구하시오.

(단, 각각의 원의 중심은 일직선 위에 있습니다.)

|방법|

① 반지름이 1 cm인 원을 그립니다.
② 1번째 원의 지름을 반지름으로 하는 원을 오른쪽에 맞닿게 그립니다.
③ 1번째와 2번째 원의 지름의 합을 지름으로 하는 원을 두 원과 맞닿게 그립니다.
④ ②, ③과 같은 방법으로 계속하여 원을 그립니다.

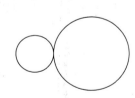

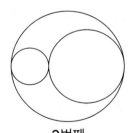

　　　　1번째　　　　　　　2번째　　　　　　　　3번째

정답과 풀이 49쪽 ▶

8-2. 원을 둘러싼 도형

1 다음과 같이 지름이 50 cm인 접시를 식탁 위에 올려놓았습니다. 식탁의 둘레는 몇 cm인지 구하시오.

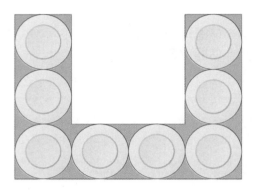

2 직사각형 안에 크기가 같은 원을 다른 원의 중심을 지나도록 그린 것입니다. 직사각형의 둘레가 210 cm일 때 원을 모두 몇 개 그렸는지 구하시오.

땀이 뻘뻘

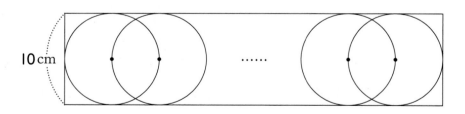

10 cm

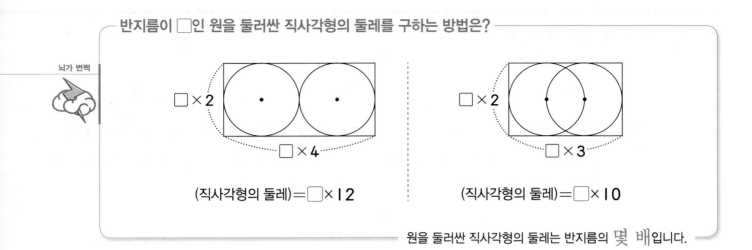

원을 둘러싼 직사각형의 둘레는 반지름의 **몇** 배입니다.

**최상위
사고력**

직사각형 ㄱㄴㄷㄹ 안에 크기가 같은 원 12개를 겹치지 않게 그린 후, 원의 중심을 이어 직사각형 ㅁㅂㅅㅇ을 그렸습니다. 직사각형 ㄱㄴㄷㄹ의 둘레가 직사각형 ㅁㅂㅅㅇ의 둘레보다 20 cm 더 길 때 원의 지름은 몇 cm인지 구하시오.

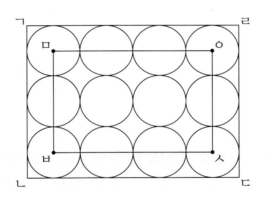

8-3. 원과 다각형

1 다음은 크기가 같은 두 원과 작은 원을 서로 맞닿게 그린 것입니다. 큰 원의 지름이 작은 원의 지름의 2배이고, 삼각형 ㄱㄴㄷ의 둘레가 30 cm일 때 작은 원의 지름은 몇 cm인지 구하시오.

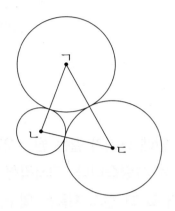

2 삼각형 ㄱㄴㄷ의 각 꼭짓점을 원의 중심으로 크기가 서로 다른 원의 일부분 3개를 그렸습니다. 삼각형 ㄱㄴㄷ의 둘레가 52 cm이고, 변 ㄱㄴ과 변 ㄱㄷ의 길이가 같을 때 색칠한 원의 반지름은 몇 cm인지 구하시오.

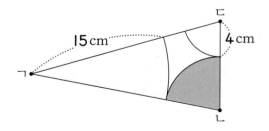

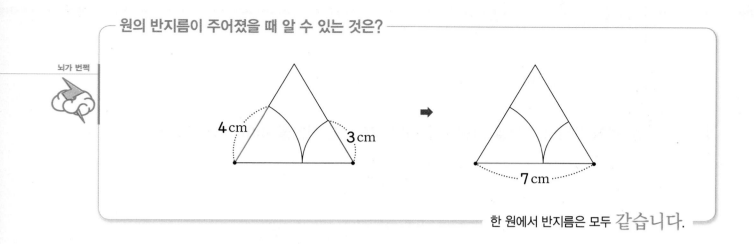

한 원에서 반지름은 모두 **같습니다.**

최상위 사고력

직사각형 ㄱㄴㄷㄹ의 각 꼭짓점을 원의 중심으로 크기가 서로 다른 원의 일부분 4개를 그렸습니다. 색칠한 원의 반지름은 몇 cm인지 구하시오.

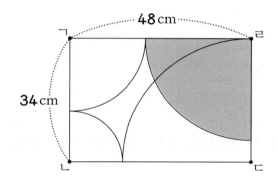

정답과 풀이 51쪽 ▶

1   원 안에 5개의 선분을 그린 것입니다. 가장 긴 선분을 찾아 선을 그으시오.

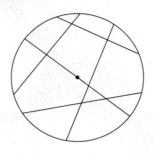

2   둘레가 36 cm인 정사각형 안에 크기가 같은 원을 그렸습니다. 원의 지름은 몇 cm인
지 구하시오.

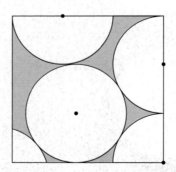

| 경시대회 기출 |

3 그림과 같이 지름이 50 cm인 원 안에 반지름이 1 cm씩 커지는 원을 맞닿게 그리려고 합니다. 가장 작은 원의 반지름이 1 cm라고 할 때 원은 모두 몇 개 그릴 수 있는지 구하시오. (단, 각각의 원의 중심은 일직선 위에 있습니다.)

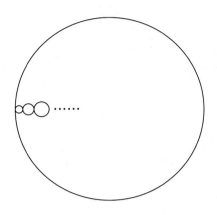

4 지름이 40 cm인 원 안에 직사각형을 그리고, 각 변의 중심을 연결하여 사각형을 모두 4개 그렸습니다. 색칠한 사각형의 둘레는 몇 cm인지 구하시오.

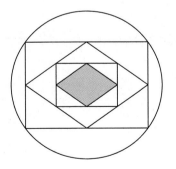

TIP 직사각형의 두 대각선은 길이가 같고 서로 다른 것을 이등분합니다.
대각선

정답과 풀이 52쪽 ▶

1 다음과 같이 지름이 30 cm인 원 6개를 원의 중심이 지나도록 겹쳐서 직사각형 안에 그렸습니다. 이 직사각형의 둘레는 몇 cm인지 구하시오.

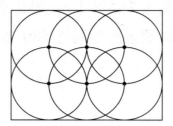

2 다음 모양을 컴퍼스를 이용하여 그릴 때 침을 모두 몇 번 꽂아야 하는지 구하시오.

3 원 위에 7개의 점이 일정한 간격으로 찍혀 있을 때 그을 수 있는 선분은 모두 몇 개인지 구하시오.

4 크기가 같은 원 10개를 서로 맞닿게 그렸습니다. 원의 중심을 이어 육각형과 삼각형을 그렸더니 삼각형의 둘레가 12 cm 더 길었습니다. 삼각형의 둘레는 몇 cm인지 구하시오.

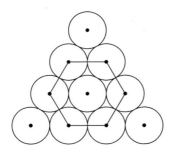 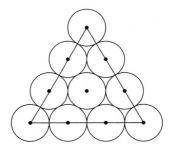

정답과 풀이 53쪽 ▶

5   큰 원의 지름이 작은 원의 지름의 2배이고, 사각형 ㄱㄴㄷㄹ의 둘레가 54 cm일 때
작은 원의 반지름은 몇 cm인지 구하시오.

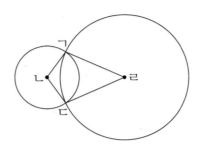

6   원 안에 선분 7개를 그어 원을 가장 많게 나누려고 합니다. 몇 부분으로 나눌 수 있는
지 구하시오.

9-1. 크기가 같은 분수

1 색칠된 부분과 크기가 같은 분수를 분모가 가장 작은 수부터 주어진 수만큼 차례로 쓰시오.

(1)

2개 ➡ ( )

(2)

2개 ➡ ( )

(3)

3개 ➡ ( )

(4)

4개 ➡ ( )

TIP 색칠된 부분을 옮겨서 생각합니다.

크기가 같은 분수는 어떻게 만들까?

분모와 분자에 0이 아닌 같은 수를 곱하기

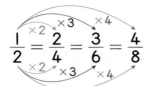

분모와 분자를 0이 아닌 같은 수로 나누기

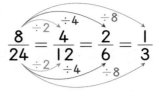

최상위 사고력 A

$\dfrac{5}{9}$의 분모와 분자에 같은 수를 더하였더니 $\dfrac{9}{10}$와 크기가 같은 분수가 되었습니다. 분모와 분자에 더한 수는 얼마인지 구하시오.

최상위 사고력 B

어떤 분수의 분자에 1을 더하였더니 $\dfrac{3}{4}$과 크기가 같은 분수가 되었고, 어떤 분수의 분자에서 1을 빼었더니 $\dfrac{2}{3}$와 크기가 같은 분수가 되었습니다. 어떤 분수는 얼마인지 구하시오.

9-2. 분수의 크기 비교

1 다음 분수 중에서 $\frac{2}{5}$보다 큰 것은 모두 몇 개인지 구하시오.

$$\frac{2+3}{5+3} \qquad \frac{2-1}{5-1} \qquad \frac{2\times 8}{5\times 8} \qquad \frac{2\times 10+1}{5\times 10+1} \qquad \frac{2\times 7-3}{5\times 7-3}$$

2 같은 색선으로 이어진 두 분수의 크기를 비교하여 왼쪽에는 작은 분수를, 오른쪽에는 큰 분수를 써넣으려고 합니다. ☐ 안에 알맞은 분수를 써넣으시오.

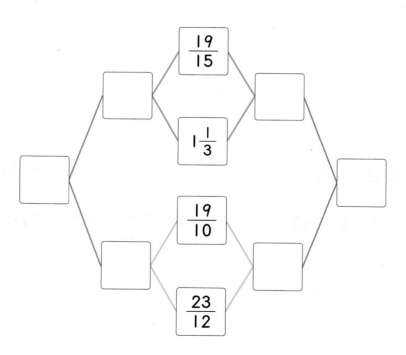

진분수의 크기를 비교하는 방법은?

방법 1

분모가 같은 분수로 만들기

$$\frac{2}{3}\left(=\frac{6}{9}\right) < \frac{7}{9}$$

➡ 분자가 클수록 큽니다.

방법 2

분자가 같은 분수로 만들기

$$\frac{3}{7} > \frac{1}{3}\left(=\frac{3}{9}\right)$$

➡ 분모가 작을수록 큽니다.

방법 3

분모와 분자의 차가 같은 분수로 만들기

$$\frac{7}{9} > \frac{6}{8}$$

➡ 분모와 분자가 클수록 큽니다.

최상위
사고력

다음 분수를 큰 수부터 차례로 쓰시오.

$$\frac{19}{11} \qquad 1\frac{1}{4} \qquad 1\frac{13}{15} \qquad \frac{18}{10} \qquad 1\frac{2}{5}$$

정답과 풀이 57쪽 ▶

9-3. 수 카드로 분수 만들기

1 주어진 수 카드 중에서 3장을 골라 조건에 맞는 분수를 만드시오.

| 2 | 4 | 5 | 7 | 8 |

조건	가장 큰 진분수	가장 큰 가분수	가장 큰 대분수
분수			

2 주어진 수 카드 중에서 3장을 골라 한 번씩 사용하여 만들 수 있는 대분수는 모두 몇 개인지 구하시오.

| 2 | 6 | 7 | 9 |

뇌가 번쩍

진분수	가분수	대분수

진분수
$$\frac{ⓒ}{ⓐⓑ}$$

가분수
$$\frac{ⓑⓒ}{ⓐ}$$

대분수
$$ⓐ\frac{ⓒ}{ⓑ} \quad (ⓑ>ⓒ)$$

분모, 분자의 자릿수와 수의 크기에 주의합니다.

**최상위
사고력**

주어진 수 카드 중에서 3장을 골라 한 번씩 사용하여 10보다 작은 가분수를 모두 만드시오.

| 2 | 3 | 6 | 8 |

| 경시대회 기출 |

1 주어진 수 카드 중에서 2장을 골라 한 번씩 사용하여 $\frac{1}{2}$ 보다 크고 1보다 작은 분수를 모두 만드시오.

$$\boxed{1} \quad \boxed{2} \quad \boxed{3} \quad \boxed{4}$$

2 □ 안에 알맞은 수는 모두 몇 개인지 구하시오.

$$6\frac{1}{2} < \frac{\square}{5} < \frac{60}{7}$$

3   5보다 작으면서 분모가 5인 가분수는 모두 몇 개인지 구하시오.

문제풀이

4   수직선에 분모는 1부터 5까지이고, 분자는 1부터 9까지인 가분수를 나타내려고 합니다. 수직선에 표시되는 서로 다른 점은 모두 몇 개인지 구하시오.

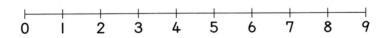

10-1. 조건에 맞는 분수

1 |조건|에 맞게 주어진 분수를 그림의 빈 곳에 알맞게 써넣으시오.

┌─────── |조건| ───────┐
ㄱ 가분수입니다.

ㄴ 분모가 **3**으로 나누어떨어집니다.

ㄷ $\frac{5}{2}$보다 큰 분수입니다.
└──────────────────┘

$$\frac{8}{12} \qquad 2\frac{4}{7} \qquad \frac{12}{5} \qquad \frac{23}{9} \qquad \frac{19}{4} \qquad 3\frac{1}{6}$$

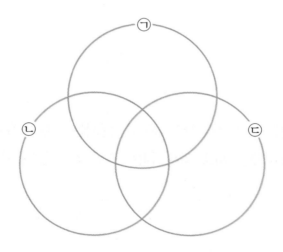

TIP 원이 겹쳐지는 곳에는 |조건|을 모두 만족하는 분수를 써넣습니다.

최상위
사고력
A

|조건|에 맞는 분수를 모두 구하시오.

┌─────────|조건|─────────┐
ⓐ 분자와 분모의 합은 15보다 작습니다.
ⓑ 1보다 크고 2보다 작은 가분수입니다.
ⓒ 분자와 분모의 차는 1보다 큽니다.
└────────────────────────┘

최상위
사고력
B

분자를 분모로 나누면 몫이 5이고, 나머지가 7인 가분수가 있습니다. 이와 같은 가분수 중에서 분모와 분자의 차가 43인 분수를 구하시오.

10-2. 규칙과 분수

1 규칙을 찾아 빈 곳에 알맞은 분수를 써넣으시오.

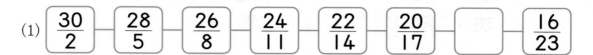

(1) $\dfrac{30}{2}$ — $\dfrac{28}{5}$ — $\dfrac{26}{8}$ — $\dfrac{24}{11}$ — $\dfrac{22}{14}$ — $\dfrac{20}{17}$ — ☐ — $\dfrac{16}{23}$

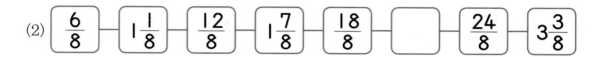

(2) $\dfrac{6}{8}$ — $1\dfrac{1}{8}$ — $\dfrac{12}{8}$ — $1\dfrac{7}{8}$ — $\dfrac{18}{8}$ — ☐ — $\dfrac{24}{8}$ — $3\dfrac{3}{8}$

(3) $\dfrac{1}{2}$ — $\dfrac{2}{3}$ — $\dfrac{3}{5}$ — $\dfrac{5}{8}$ — $\dfrac{8}{13}$ — $\dfrac{13}{21}$ — $\dfrac{21}{34}$ — ☐

땀이 뻘뻘

2 다음과 같은 규칙으로 분수를 놓았습니다. 50번째에 놓일 분수를 구하시오.

$$\dfrac{1}{2},\ \dfrac{1}{3},\ \dfrac{2}{2},\ \dfrac{1}{4},\ \dfrac{2}{3},\ \dfrac{3}{2}\ \cdots\cdots$$

분수의 규칙은 어떻게 찾아야 할까?

① 분자와 분모로 나누어 규칙을 찾습니다.

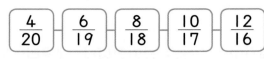

$$\frac{4}{20} - \frac{6}{19} - \frac{8}{18} - \frac{10}{17} - \frac{12}{16}$$

➡ 분자는 2씩 커지고,
  분모는 1씩 작아집니다.

② 분수들간의 관계를 찾습니다.

$$\frac{1}{3} - 1\frac{1}{3} - \frac{7}{3} - 3\frac{1}{3} - \frac{13}{3}$$

➡ 분자는 3씩 커지고,
  짝수 번째는 대분수로 나타냅니다.

**최상위
사고력**

다음과 같은 규칙으로 분수를 놓았습니다. 처음으로 자연수가 되는 것은 몇 번째이며, 그 자연수는 얼마인지 차례로 구하시오.

$$\frac{1}{9}, \ \frac{1}{6}, \ \frac{5}{18}, \ \frac{4}{9}, \ \frac{13}{18}, \ 1\frac{1}{6} \cdots\cdots$$

정답과 풀이 62쪽 ▶

10-3. 분수 문장제

1 연못에 떠 있는 개구리밥은 24시간마다 2배로 증가합니다. 개구리밥이 20일째에 연못을 완전히 덮었다면 연못의 $\frac{1}{8}$을 덮었을 때는 며칠째인지 구하시오.

2 컵에 물을 $\frac{1}{2}$만큼 채운 뒤 무게를 재면 800 g이고, 물을 가득 채운 뒤 무게를 재면 1400 g입니다. 이 컵에 물을 $\frac{3}{4}$만큼 채운 뒤 무게를 재면 몇 g인지 구하시오.

분수 문장제 문제는 어떻게 풀까?

㉮ 봉지에 있는 사탕을 첫째 날 $\frac{1}{2}$을 먹고, 둘째 날 나머지의 $\frac{1}{3}$을 먹었더니 6개가 남았습니다.

처음에 있던 사탕은 몇 개인지 구하시오.

따라서 처음에 있던 사탕은 $3 \times 6 = 18$(개)입니다.

그림을 그린 후 전체와 부분의 관계를 이용합니다.

최상위
사고력
A

동화책의 $\frac{2}{8}$와 위인전의 $\frac{2}{5}$는 쪽수가 같습니다. 동화책이 12쪽 더 많을 때 동화책은 모두 몇 쪽인지 구하시오.

최상위
사고력
B

미호는 가지고 있던 공책의 $\frac{2}{3}$보다 6권을 더 동생에게 주고, 남은 공책의 $\frac{3}{5}$보다 4권을 더 언니에게 주었더니 공책이 남지 않았습니다. 미호가 처음에 가지고 있던 공책은 모두 몇 권인지 구하시오.

정답과 풀이 63쪽 ▶

1 |조건|에 맞는 분수를 모두 구하시오.

> |조건|
>
> ㉠ 가분수입니다.
> ㉡ 분모와 분자의 차가 2보다 크고 6보다 작습니다.
> ㉢ 2보다 크고 3보다 작은 분수입니다.

2 다음과 같은 규칙으로 분수를 놓았습니다. 분모와 분자의 합이 131이 되는 분수는 몇 번째인지 구하시오.

$$\frac{2}{3}, \frac{6}{5}, \frac{10}{7}, \frac{14}{9}, \frac{18}{11}, \frac{22}{13} \cdots$$

| 경시대회 기출 |

3 승희는 가지고 있던 사탕의 $\frac{1}{2}$보다 1개를 더 동생에게 주고, 남은 사탕의 $\frac{1}{2}$보다 1개를 더 친구에게 주었더니 사탕 3개가 남았습니다. 승희가 처음에 가지고 있던 사탕은 몇 개인지 구하시오.

| 경시대회 기출 |

4 수영장의 물의 깊이를 알아보기 위해 ㉠ 막대와 ㉡ 막대를 각각 수영장 바닥에 닿게 집어 넣었더니 ㉠ 막대는 전체 길이의 $\frac{1}{4}$이, ㉡ 막대는 전체 길이의 $\frac{2}{3}$가 물속에 잠겼습니다. 두 막대의 길이의 차가 2 m라면 수영장의 물의 깊이는 몇 cm인지 구하시오.

정답과 풀이 65쪽 ▶

1   분모와 분자가 모두 50보다 작을 때 $\dfrac{10}{8}$ 과 크기가 같은 분수는 모두 몇 개인지 구하시오.

2   다음과 같은 규칙으로 분수를 놓았습니다. 50번째에 놓일 분수를 구하시오.

$$\dfrac{8}{9},\ 1\dfrac{1}{9},\ \dfrac{12}{9},\ 1\dfrac{5}{9},\ \dfrac{16}{9},\ 2,\ \dfrac{20}{9}\cdots\cdots$$

3 다음 분수를 큰 수부터 차례로 쓰시오.

$$\frac{22}{8} \qquad 2\frac{7}{9} \qquad \frac{16}{5} \qquad \frac{19}{6} \qquad 2\frac{1}{4}$$

4 |조건|에 맞는 분수를 모두 구하시오.

|조건|

㉠ 분자와 분모의 합은 10보다 크고 20보다 작습니다.

㉡ 진분수입니다.

㉢ 분모를 분자로 나누면 몫은 2이고 나머지는 1입니다.

정답과 풀이 66쪽 ▶

5 주어진 수 카드 중에서 3장을 골라 한 번씩 사용하여 만들 수 있는 대분수 중에서 두 번째로 큰 분수와 두 번째로 작은 분수를 차례로 구하시오.

$$\boxed{3}\ \boxed{4}\ \boxed{5}\ \boxed{8}\ \boxed{9}$$

6 진호가 전체 사과의 $\frac{1}{4}$과 6개를 가져가고, 수경이는 남은 사과의 $\frac{1}{2}$과 3개를 가져갔습니다. 마지막에 상규가 남아 있는 사과 6개를 가져갔다면 처음에 있던 사과는 모두 몇 개인지 구하시오.

정답과 풀이 66쪽 ▶

측정

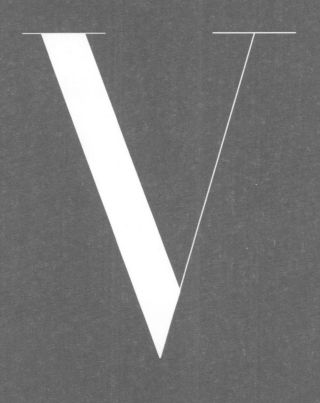

11-1. 윗접시저울로 잴 수 있는 무게

1 저울과 무게가 1 g, 3 g, 9 g인 추가 각각 한 개씩 있습니다. 저울의 한쪽 접시에 무게가 1 g부터 13 g까지인 물건을 차례로 놓고 양쪽 접시의 무게가 같도록 추를 놓으려고 합니다. 추를 놓는 방법을 찾아 그림으로 나타내시오.

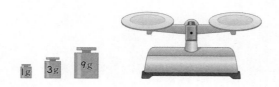

방법		방법	
[1g] =	[1g]	[8g] =	
[2g][1g] =	[3g]	[9g] =	
[3g] =	[3g]	[10g] =	
[4g] =		[11g] =	
[5g] =		[12g] =	
[6g] =		[13g] =	
[7g] =			

한쪽 접시에만 놓기　　　　　　　양쪽 접시에 놓기

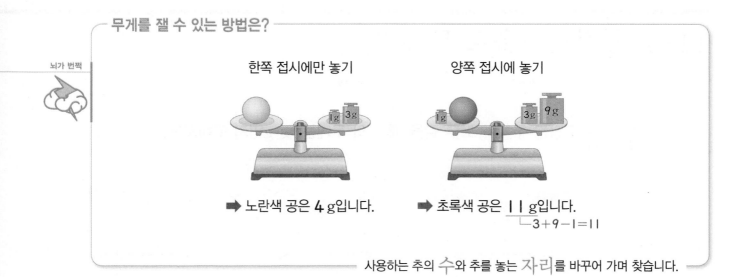

➡ 노란색 공은 4 g입니다.　　　➡ 초록색 공은 11 g입니다.
　　　　　　　　　　　　　　　　　└3+9-1=11

사용하는 추의 **수**와 추를 놓는 **자리**를 바꾸어 가며 찾습니다.

최상위
사고력
A

저울과 무게가 3 g, 8 g인 추가 각각 두 개씩 있습니다. 저울의 양쪽 접시에 추를 모두 놓을 수 있을 때 잴 수 있는 무게는 모두 몇 가지인지 구하시오.

최상위
사고력
B

저울과 무게가 5 g, 10 g, 30 g, 35 g, 40 g인 추가 각각 한 개씩 있습니다. 저울의 양쪽 접시에 추를 모두 놓을 수 있을 때 60 g인 물건을 재는 방법은 모두 몇 가지인지 구하시오.

11-2. 윗접시저울로 무게 재기

1 같은 모양은 무게가 모두 같을 때 ▲의 무게는 몇 g인지 구하시오.

2 같은 종류의 과일은 무게가 모두 같을 때 사과, 바나나, 배 한 개의 무게는 각각 몇 g인지 차례로 구하시오.

뇌가 번쩍

저울이 평형인 경우 양쪽에서 **같은 무게**를 빼거나 더해도 평형이 유지됩니다.

최상위 사고력

㉠과 ㉢의 무게의 합이 36 g일 때 ㉠, ㉡, ㉢, ㉢의 무게는 각각 몇 g인지 차례로 구하시오.

정답과 풀이 69쪽 ▶

11-3. 여러 가지 저울로 무게 재기

1 같은 모양은 무게가 모두 같을 때 주어진 모양의 무게는 몇 g인지 구하려고 합니다.
□ 안에 알맞은 수를 써넣으시오.

(1)

●= □ g

(2)

■= □ g

2 같은 종류의 채소는 무게가 모두 같을 때 당근, 가지, 오이의 무게는 각각 몇 g인지
차례로 구하시오.

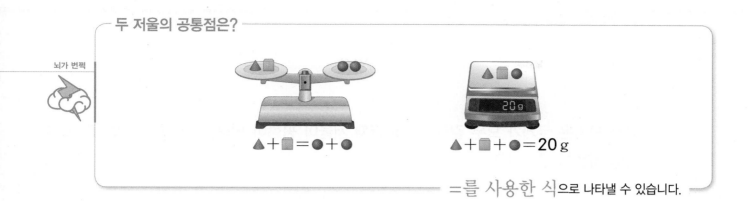

정답과 풀이 70쪽 ▶

두 저울의 공통점은?

△+■=●+●   △+■+●=20 g

=를 사용한 식으로 나타낼 수 있습니다.

최상위 사고력

다음과 같이 무게가 같은 저울 3개를 차례로 올려놓고, 맨 위에 감자 3개를 놓았습니다. 저울이 나타내는 무게를 보고 감자 1개의 무게는 몇 g인지 구하시오. (단, 감자의 무게는 모두 같습니다.)

1 같은 모양은 무게가 모두 같을 때 세 번째 저울이 평형이 되려면 빈 곳에 ▲을 몇 개 놓아야 하는지 구하시오.

2 저울과 무게가 1 g, 8 g인 추가 각각 한 개씩 있습니다. 추를 저울의 한쪽 접시에만 올려놓아 무게가 1 g부터 15 g까지인 물건을 차례로 재려고 할 때 필요한 최소의 추를 모두 고르시오.

① 1g ② 2g ③ 3g

④ 4g ⑤ 5g ⑥ 6g

3 같은 종류의 물건은 무게가 모두 같을 때 연필 1자루와 지우개 1개의 무게는 각각 몇 g인지 차례로 구하시오.

 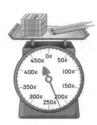

4 저울과 무게가 2 g, 5 g, 7 g인 추가 각각 두 개씩 있습니다. 저울의 양쪽 접시에 추를 모두 놓을 수 있을 때 잴 수 없는 가장 가벼운 무게는 몇 g인지 구하시오.

정답과 풀이 71쪽 ▶

12-1. 나누어진 무게

1 모빌은 막대의 양끝에 실로 추를 매달아 무게의 평형을 유지하는 물건입니다.

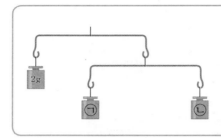

- ㉠과 ㉡의 무게의 합은 **2**g입니다.
- ㉠과 ㉡도 평형을 이루므로 무게가 **1**g 으로 같습니다.

막대의 양끝에 실로 추를 매달아 모빌을 만들었습니다. 나머지 추의 무게는 몇 g인지 ☐ 안에 알맞게 써넣으시오. (단, 막대와 실의 무게는 생각하지 않습니다.)

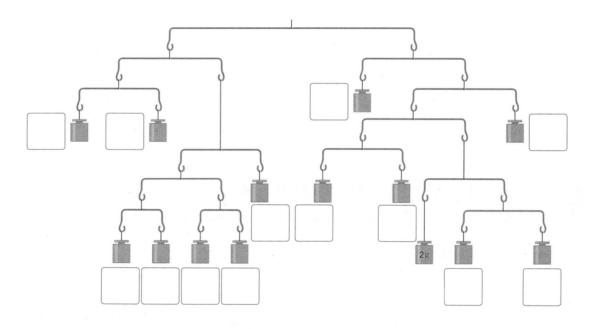

TIP 오른쪽 부분의 아래부터 시작하여 위로 올라가면서 추의 무게를 구합니다.

뇌가 번쩍

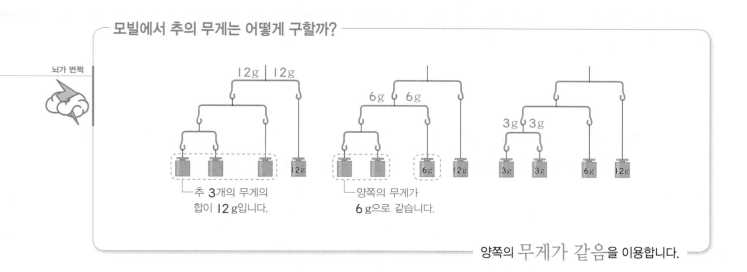

양쪽의 **무게가 같음**을 이용합니다.

최상위
사고력

두 저울 위의 가운데에 저울 1개를 올리면 위에 있는 저울의 무게가 아래 저울에 똑같이 나누어집니다. 3층으로 쌓은 저울에서 1층의 가운데에 있는 저울이 나타내는 무게는 몇 kg인지 구하시오. (단, 저울의 무게는 모두 같습니다.)

정답과 풀이 73쪽 ▶

12-2. 무게의 순서 정하기

1 파랑, 빨강, 초록 구슬을 저울에 올려놓았더니 다음과 같았습니다. 같은 색깔의 구슬은 무게가 모두 같을 때 가장 무거운 구슬을 찾아 쓰시오.

2 같은 모양은 무게가 모두 같을 때 저울을 보고 가장 무거운 모양과 가장 가벼운 모양의 기호를 차례로 쓰시오.

뇌가 번쩍

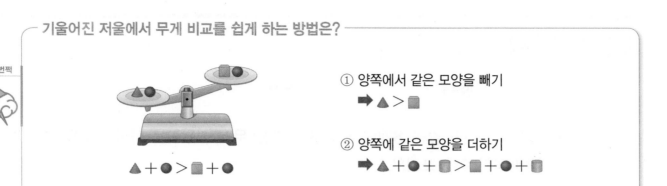

① 양쪽에서 같은 모양을 빼기
➡ ▲ > ▤

② 양쪽에 같은 모양을 더하기
➡ ▲ + ● + ▥ > ▤ + ● + ▥

▲ + ● > ▤ + ●

같은 무게를 빼거나 더합니다.

최상위
사고력

1부터 10까지의 수가 적힌 구슬이 있습니다. 각 구슬은 8 g짜리 8개, 13 g짜리 1개, 18 g짜리 1개입니다. 같은 번호의 구슬은 무게가 모두 같을 때 가장 무거운 구슬에 적힌 수를 쓰시오.

12-3. 가짜 금화 찾기

1 모양과 크기가 같은 8개의 금화 중 1개는 무게가 무거운 가짜 금화입니다. 가짜 금화에 적힌 수를 쓰시오.

2 모양과 크기가 같은 6개의 금화 중 1개는 무게가 가벼운 가짜 금화입니다. 가짜 금화를 찾으려면 저울을 최소 몇 번 사용해야 하는지 구하시오.

3개의 금화 중 가벼운 가짜 금화 1개를 몇 번 만에 찾을 수 있을까?

➡ 가짜 금화: ①

➡ 가짜 금화: ②

➡ 가짜 금화: ③

모두 **3**가지 경우가 있지만 저울을 **1**번만 사용하여 찾을 수 있습니다.

모양과 크기가 같은 **24**개의 금화 중 **1**개는 무게가 가벼운 가짜 금화입니다. 한 번 사용하는 데 **1000**원인 저울을 사용하여 가짜 금화를 찾으려면 필요한 돈은 최소 얼마인지 구하시오.

정답과 풀이 75쪽 ▶

1   모양과 크기가 같은 4개의 금화 중 1개는 무게가 다른 가짜 금화입니다. 가짜 금화에 적힌 수를 쓰고, 가짜 금화의 무게가 다른 금화의 무게보다 무거운지 가벼운지 쓰시오.

2   같은 모양은 무게가 모두 같을 때 저울을 보고 무거운 것부터 차례로 모양의 기호를 쓰시오.

3 보기와 같이 모빌은 중심점에서부터 추까지의 거리와 추의 무게와의 곱이 같으면 평형을 이룹니다. 다음과 같이 추 3개가 달려있을 때 나머지 추의 무게는 몇 g인지 ☐ 안에 알맞게 써넣으시오.

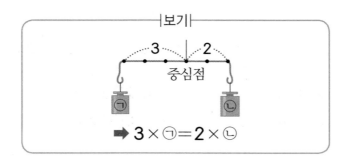

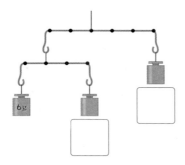

4 모양과 크기가 같은 12개의 금화 중 1개는 무게가 무거운 가짜 금화입니다. 가짜 금화를 찾으려면 저울을 최소 몇 번 사용해야 하는지 구하시오.

정답과 풀이 76쪽 ▶

13-1. 들이의 계산

1 들이가 다른 4개의 통이 있습니다. 이 중에서 통 2개를 골라 각각 Ⅰ번씩 사용할 때 잴 수 없는 들이를 모두 고르시오.

7L 200mL   5L 900mL   3L 700mL   2L 300mL

① 2 L 200 mL   ② 8 L 200 mL   ③ 4 L 800 mL

④ Ⅰ L 300 mL   ⑤ 9 L 400 mL

2 다음과 같이 은우, 성수, 지호는 가, 나, 다 그릇을 사용하여 들이가 Ⅰ4 L인 수조에 각각 물을 가득 담았습니다. 가, 나, 다 그릇의 들이는 각각 몇 L인지 차례로 구하시오.

	가	나	다
은우	Ⅰ번	3번	4번
성수	2번	0번	6번
지호	Ⅰ번	5번	0번

여러 그릇의 들이를 어떻게 비교할까?

들이가 같은 것끼리는 지우고 나머지를 비교합니다.

최상위 사고력

|조건|에 맞게 ㉠ 통과 ㉡ 통에 물을 가득 채울 때 필요한 물은 작은 컵으로 모두 몇 컵인지 구하시오.

┤조건├
- ㉠ 통에 물을 가득 채운 후 ㉡ 통이 가득 채워질 때까지 부었더니 ㉠ 통의 물이 작은 컵으로 **6**컵 남았습니다.
- ㉡ 통에 물을 가득 **2**번 채운 후 ㉠ 통이 가득 채워질 때까지 부었더니 ㉡ 통의 물이 작은 컵으로 **2**컵 남았습니다.

정답과 풀이 77쪽 ▶

13-2. 눈금 없는 그릇으로 들이 재기

1 다음과 같이 들이가 400 mL, 600 mL, 700 mL인 그릇을 사용하여 수조에 물 900 mL를 담을 수 있습니다. 물음에 답하시오.

> **식** $700 - 400 + 600 = 900$
>
> **방법** ① 들이가 700 mL인 그릇에 물을 가득 채우고 그 물을 들이가 400 mL인 그릇에 가득 붓습니다.
> ② 들이가 600 mL인 그릇에 물을 가득 채웁니다.
> ③ 들이가 700 mL인 그릇에 남아 있는 물 300 mL와 들이가 600 mL인 그릇의 물을 합치면 900 mL가 됩니다.

(1) 비어 있는 세 그릇을 사용하여 수조에 물 900 mL를 담는 또 다른 방법을 식으로 쓰고 설명하시오.

(2) 세 그릇에 물이 가득 차 있습니다. 이 물만 사용하여 수조에 물 500 mL를 담는 방법을 설명하시오. (단, 버린 물은 다시 사용하지 못합니다.)

큰 그릇에 물이 가득 차 있을 때 잴 수 있는 들이는 무엇일까?

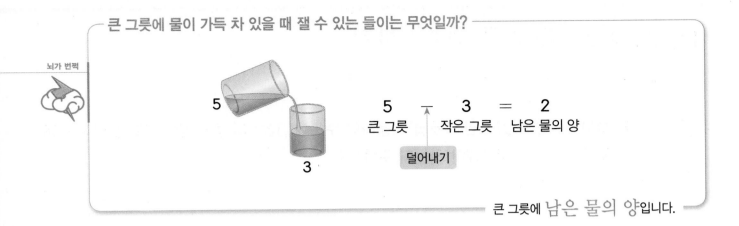

5   ┬   3   =   2
큰 그릇 │ 작은 그릇 남은 물의 양
   덜어내기

────────────── 큰 그릇에 남은 물의 양입니다.

최상위 사고력

들이가 4 L와 7 L인 그릇을 사용하여 수조에 물 5 L를 담으려고 합니다. 필요한 최소의 물의 양은 몇 L인지 구하시오.

13-3. 최소 횟수로 들이 재기

1 들이가 10 L, 7 L인 그릇을 사용하여 수조에 36 L의 물을 담으려고 합니다. 그릇을 최소 몇 번 사용해야 하는지 구하시오.

2 들이가 7 L, 5 L, 3 L인 통 중에서 들이가 7 L인 통에만 물이 가득 들어 있고, 나머지 통은 비어 있습니다. 1 L를 만들려면 물을 최소 몇 번 옮겨야 하는지 구하시오. (단, 물을 버려서는 안 됩니다.)

7 L   5 L   3 L

들이가 3 L와 5 L인 통으로 1 L의 물을 담으려면?

횟수 (번)	들이가 3 L인 통에 들어 있는 물의 양(L)	들이가 5 L인 통에 들어 있는 물의 양(L)	방법
0	0	0	비어 있는 상태입니다.
1	3	0	들이가 3 L인 통에 물을 가득 채웁니다.
2	0	3	들이가 3 L인 통의 물을 모두 들이가 5 L인 통으로 옮깁니다.
3	3	3	다시 들이가 3 L인 통에 물을 가득 채웁니다.
4	1	5	들이가 3 L인 통의 물을 들이가 5 L인 통에 물이 가득 차게 옮기면 들이가 3 L인 통에 1 L만 남습니다.

표를 그려 통 안에 있는 들이의 변화를 나타냅니다.

최상위 사고력

들이가 8 L인 통에 기름이 가득 담겨 있습니다. 들이가 5 L와 3 L인 빈 통을 사용하여 기름을 4 L씩 똑같이 나누려고 할 때 기름을 최소 몇 번 옮겨야 하는지 구하시오.

8 L   5 L   3 L

1 |조건|에 맞게 ㉠ 통에 물을 가득 채우려면 ㉢ 통에 가득 채운 물을 몇 번 부어야 하는지 구하시오.

┤조건├
- ㉠ 통에 물을 가득 채운 후 ㉡ 통에 2번 부어 가득 채웠습니다.
- ㉢ 통에 물을 가득 채운 후 ㉡ 통에 6번 부어 가득 채웠습니다.

2 | 경시대회 기출 |
들이가 20 L, 16 L, 6 L인 통이 있습니다. 들이가 20 L인 통에만 물이 가득 들어 있을 때 8 L의 물을 만들려면 물을 최소 몇 번 옮겨야 하는지 구하시오. (단, 물을 버려서는 안 됩니다.)

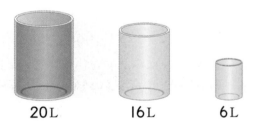

20L   16L   6L

3 들이가 8 L, 5 L인 통을 사용하여 4 L의 물을 만들려면 물을 최소 몇 번 옮겨야 하는지 구하시오. (단, 물을 버리는 것은 옮기는 횟수에 포함하지 않고 물을 새로 통에 담는 것은 옮기는 횟수에 포함합니다.)

| 경시대회 기출 |

4 들이가 12 L인 통에 우유가 가득 담겨 있습니다. 들이가 7 L와 5 L인 빈 통을 사용하여 우유를 6 L씩 똑같이 나누려고 할 때 우유를 최소 몇 번 옮겨야 하는지 구하시오.

정답과 풀이 81쪽 ▶

1 다음과 같이 들이가 다른 세 종류의 통으로 $2400\,mL$의 물을 세 가지 방법으로 만들었습니다. 가장 작은 통의 들이는 몇 mL인지 구하시오.

2 같은 모양은 무게가 모두 같을 때 저울을 보고 무거운 것부터 차례로 모양의 기호를 쓰시오.

3 저울과 무게가 2 g, 3 g, 6 g인 추가 각각 한 개씩 있습니다. 저울의 양쪽 접시에 추를 모두 놓을 수 있을 때 잴 수 있는 무게가 모두 몇 가지인지 구하시오.

4 같은 종류의 물건은 무게가 모두 같을 때 저울을 보고 인형, 축구공, 컵의 무게는 각각 몇 g인지 차례로 구하시오.

정답과 풀이 82쪽 ▶

5 들이가 5 L, 3 L인 병을 사용하여 4 L의 물을 만들려면 물을 최소 몇 번 옮겨야 하는지 구하시오. (단, 물을 버리는 것은 옮기는 횟수에 포함하지 않고 물을 새로 병에 담는 것은 옮기는 횟수에 포함합니다.)

6 막대의 양끝에 실로 추를 매달아 모빌을 만들었습니다. ㉠은 몇 g인지 구하시오.
(단, 막대와 실의 무게는 생각하지 않습니다.)

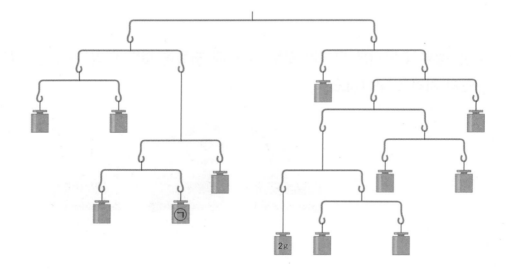

확률과 통계

14-1. 조건과 표 그리기

1 도연이네 반 학생들이 좋아하는 과목을 조사하여 표로 나타내려고 합니다. 다음 |조건|에 맞게 표를 완성하시오.

> ┤조건├
> • 미술을 좋아하는 학생은 과학을 좋아하는 학생보다 많고 수학을 좋아하는 학생보다 적습니다.
> • 음악을 좋아하는 학생은 영어를 좋아하는 학생보다 **3**명 더 많습니다.

좋아하는 과목별 학생 수

과목	수학	과학	미술	음악	영어	합계
학생 수(명)	9	6				30

2 지영이가 월요일부터 토요일까지 도서관에서 빌린 책의 수를 조사하여 표로 나타내려고 합니다. 다음 |조건|에 맞게 표를 완성하시오.

> ┤조건├
> • 지영이는 책을 하루에 최대 **9**권까지 빌렸습니다.
> • 요일별로 빌린 책의 수가 모두 다릅니다.
> • 수요일에는 화요일보다 **1**권을 더 적게 빌렸습니다.
> • 목요일부터 토요일까지 빌린 책은 모두 **15**권입니다.
> • 목요일에 빌린 책은 금요일에 빌린 책의 $\frac{1}{2}$입니다.

요일별 빌린 책의 수

요일	월	화	수	목	금	토	합계
책의 수(권)		7					37

뇌가 번쩍

조건을 보고 표를 완성하는 문제는 어떻게 풀까?

① 조건에서 바로 알 수 있는 자료를 빈칸에 채웁니다.

② 합계를 이용하여 알 수 있는 자료를 빈칸에 채웁니다.

③ 이용하지 않은 조건을 이용하여 나머지 빈칸을 채웁니다.

최상위
사고력

수아네 반 학생들이 좋아하는 색깔을 조사하여 나타낸 자료가 찢어졌습니다. 파랑을 좋아하는 학생 수는 초록을 좋아하는 학생 수와 같고, 노랑을 좋아하는 학생 수보다 많습니다. ㉠, ㉡, ㉢에 알맞은 수를 차례로 구하시오.

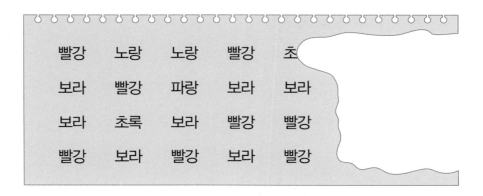

좋아하는 색깔별 학생 수

색깔	빨강	파랑	노랑	초록	보라	합계
학생 수(명)	8	㉠	㉡	㉢	7	26

정답과 풀이 85쪽 ▶

14-2. 연역표

1 보영, 진아, 상호, 기태는 1반, 2반, 3반, 4반 중 서로 다른 반입니다. 기태는 몇 반인지 구하시오.

> • 진아는 1반입니다.
> • 보영이는 2반이 아닙니다.
> • 기태는 2반이 아닙니다.
> • 보영이는 4반이 아닙니다.

2 진우, 승민, 하영의 성은 김, 이, 박 중의 하나이고, 그들의 나이는 9살, 10살, 11살 중의 하나입니다. 진우는 승민이와 이씨 성을 가진 학생보다 어리고, 박씨 성을 가진 학생은 이씨 성을 가진 학생보다 나이가 많습니다. 승민이의 성은 무엇이고 나이는 몇 살인지 구하시오.

논리 추리를 잘하려면 어떻게 해야 할까?

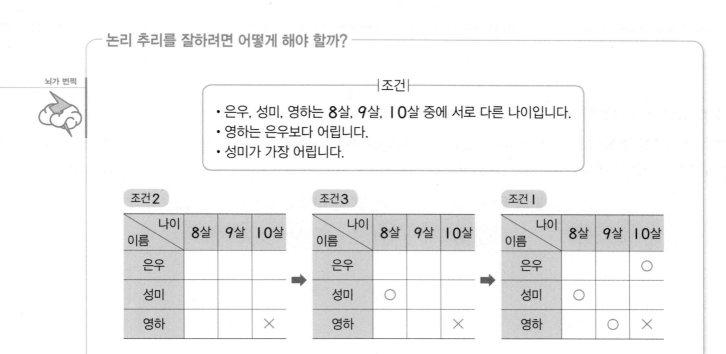

조건
• 은우, 성미, 영하는 8살, 9살, 10살 중에 서로 다른 나이입니다.
• 영하는 은우보다 어립니다.
• 성미가 가장 어립니다.

조건2

이름＼나이	8살	9살	10살
은우			
성미			
영하			×

조건3

이름＼나이	8살	9살	10살
은우			
성미	○		
영하			×

조건1

이름＼나이	8살	9살	10살
은우			○
성미	○		
영하		○	×

조건에 맞게 표로 나타냅니다.

최상위 사고력

민하, 시후, 동주는 수영장에 갔습니다. 1번, 2번, 3번, 4번 선수들이 수영하는 것을 보고 다음과 같이 예상했습니다. 각자 예상한 것이 한 가지씩만 맞았다고 할 때, 순위가 높은 차례로 번호를 쓰시오.

민하: 2번 선수가 1등, 1번 선수가 2등
시후: 3번 선수가 1등, 4번 선수가 3등
동주: 4번 선수가 2등, 1번 선수가 4등

14-3. 표 만들어 해결하기

1 민우는 500원짜리 동전을 던져 숫자면이 나오면 계단을 4개 올라가고, 그림면이 나오면 계단을 1개 내려가는 놀이를 하려고 합니다. 동전을 30번 던져 처음의 위치에서 계단을 20개 더 올라가려면 숫자면이 몇 번 나와야 하는지 구하시오.

땀이 뻘뻘

2 정우가 수학 시험에서 50점을 받았다면 정우가 맞힌 문제는 모두 몇 문제인지 구하시오. (단, 가장 낮은 점수는 0점입니다.)

> 문제 수: **20**문제
> 기본 점수: **100**점
> 맞힌 문제의 점수: **20**점
> 틀린 문제의 점수: **10**점 감점

두 수의 합과 차를 알 때 두 수를 구하는 방법은?

예 합이 **36**이고, 차가 **30**인 두 수

큰 수	36	35	34	33	⋯⋯
작은 수	0	1	2	3	⋯⋯
두 수의 차	36	34	32	30	⋯⋯

−2 −2 −2

➡ 따라서 두 수는 **33**, **3**입니다.

───── 표를 그려 규칙을 찾아 구합니다.

최상위 사고력 A

잠자리, 개구리, 참새가 모두 **30**마리 있습니다. 다리의 수를 세어 보니 모두 **96**개였습니다. 참새의 수는 개구리의 수의 **3**배라고 할 때 참새는 몇 마리인지 구하시오.

TIP 잠자리의 다리는 **6**개, 개구리의 다리는 **4**개, 참새의 다리는 **2**개입니다.

최상위 사고력 B

어른과 어린이가 **100**명인 모임이 있습니다. 다음과 같이 빵 **100**개를 모두 나누어 먹었다면 이 모임에 어른은 몇 명인지 구하시오.

• 어른 **1**명이 빵 **3**개를 먹습니다.
• 어린이 **3**명이 빵 **1**개를 나누어 먹습니다.

1 8명의 학생들이 다음과 같이 4명씩 놀이 기구를 탔습니다. 8명의 학생들은 2명씩 형제들이고, 형제끼리는 놀이 기구를 한 번도 같이 타지 않았습니다. 기태는 놀이 기구를 한 번도 타지 않았다면 승우의 형제는 누구인지 구하시오.

> 첫 번째: 민호, 해철, 수영, 승우
> 두 번째: 해철, 수영, 현정, 형규
> 세 번째: 민호, 수영, 동혁, 형규

| 경시대회 기출 |

2 A, B, C 세 사람은 각자 직업을 두 가지씩 가지고 있습니다. 이들의 직업은 요리사, 의사, 가수, 변호사, 배우, 수영 선수로 서로 다릅니다. 다음 |조건|을 보고 A, B, C 세 사람의 두 가지 직업을 모두 찾아 쓰시오.

|조건|
- 배우는 요리사의 음식을 좋아합니다.
- 의사와 변호사는 A와 친구입니다.
- 요리사는 가수의 노래를 평소에 즐겨 부릅니다.
- 변호사는 1년 전에 배우의 사건을 맡았습니다.
- B는 오늘 오후 병원에서 의사를 만났습니다.
- C는 B와 요리사보다 키가 큽니다.

TIP |조건|을 보고 알 수 있는 또 다른 사실로 바꾸어 봅니다.

3

어떤 경기에서 심판 7명이 1점에서 10점까지의 점수를 주며, 가장 높은 점수와 가장 낮은 점수를 제외한 5명의 점수의 합을 그 선수의 득점으로 합니다. 점수표에서 세 번째 심판이 준 점수가 보이지 않습니다. 물음에 답하시오.

점수표

선수 \ 심판	1	2	3	4	5	6	7
유미	8	10		10	9	8	7
지호	10	9		8	9	10	9
연우	9	9		9	9	9	9

(1) 유미가 받을 수 있는 최소 득점과 최대 득점을 차례로 구하시오.

(2) 지호가 1등, 연우가 2등, 유미가 3등일 때 유미, 지호, 연우의 최대 득점을 차례로 구하시오.

정답과 풀이 90쪽 ▶

15-1. 그림그래프

1 은우네 학교 I, 2, 3학년 학생 수를 조사하여 나타낸 표와 그림그래프입니다. 표와 그림그래프를 완성하시오.

학년별 학생 수

학년	I학년	2학년	3학년	합계
학생 수(명)	I80		200	640

학년별 학생 수

학년	학생 수
I학년	👤👤👤 🧍🧍🧍🧍🧍
2학년	
3학년	👤👤👤👤

👤 [ ]명
🧍 [ ]명

2 민우네 학교 3학년 학생들의 반별 안경을 쓴 학생 수를 조사하여 나타낸 그림그래프입니다. 그림그래프를 완성하시오.

- 3학년 학생들 중에서 안경을 쓴 학생은 모두 **40**명입니다.
- 5반에 안경을 쓴 학생 수는 I반보다 **6**명 더 많습니다.
- 4반에 안경을 쓴 학생 수는 I**0**명을 넘지 않습니다.
- 2반에 안경을 쓴 학생 수는 3반에 안경을 쓴 학생 수의 **2**배입니다.

반별 안경을 쓴 학생 수

반	I반	2반	3반	4반	5반
학생 수	👤🧍🧍			👤👤🧍🧍	👤👤👤

👤[ ]명 🧍[ ]명

과수원별 사과 생산량

과수원	사과 수	수
달콤		340상자
새콤		420상자

➡ 사과 340상자를 🍎3개와 🍎4개로 나타냈으므로
🍎 한 개는 100상자, 🍎 한 개는 10상자를 나타냅니다.

그림이 나타내는 수를 먼저 구합니다.

최상위 사고력

유미네 학교 3학년 학생들의 반별 키가 130cm가 넘는 학생 수를 조사하여 나타낸 표와 그림그래프입니다. 키가 130cm가 넘는 전체 여학생은 29명이고, ㉠은 ㉡의 $\frac{1}{2}$일 때 ㉠과 ㉡에 알맞은 수를 차례로 구하시오.

반별 키가 130 cm가 넘는 학생 수

반	1반	2반	3반	4반	5반	합계
학생 수(명)	12	9	11			54

반별 키가 130 cm가 넘는 학생 수

남학생 수	반	여학생 수
😃 😃 😃	1반	😃 😃 😃
😃 😃	2반	😃 😃 😃
㉠	3반	
	4반	㉡
😃 😃 😃	5반	😃 😃

😃 ? 명   😃 ? 명

15-2. 여러 가지 그래프

1 6명의 학생들이 수학·과학 퀴즈 대회에서 맞힌 문제 수를 나타낸 그래프입니다. 바르게 설명한 것을 모두 고르시오.

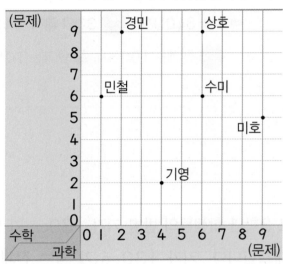

수학·과학 퀴즈 대회에서 맞힌 문제 수

① 두 과목을 합쳐서 가장 많은 문제를 맞힌 학생은 경민입니다.

② 과학보다 수학을 더 많이 맞은 학생은 **3**명입니다.

③ 수학에서 맞힌 문제 수와 과학에서 맞힌 문제수의 차가 가장 큰 학생은 미호입니다.

④ 수미는 과학에서 민철이보다 **5**문제 더 많이 맞혔습니다.

⑤ 두 과목을 합쳐서 맞힌 문제 수가 **10**문제가 넘는 학생은 **3**명입니다.

최상위
사고력
A

민호네 모둠 학생들이 이번 달에 읽은 책의 수를 나타낸 그래프입니다. 승민, 기연, 상희가 읽은 책은 각각 몇 권인지 차례로 구하시오.

- 6명의 학생이 읽은 책은 모두 35권입니다.
- 승민이는 상희보다 4권 더 읽었습니다.
- 기연이가 책을 가장 적게 읽었습니다.

이번 달에 읽은 책의 수

최상위
사고력
B

어느 학교 42명의 학생들이 좋아하는 색깔을 조사하여 나타낸 그래프입니다. 보라를 좋아하는 여학생은 몇 명인지 구하시오.

- 보라를 좋아하는 남학생 수는 전체 남학생 수의 $\dfrac{1}{6}$입니다.
- 보라를 좋아하는 학생 수는 노랑을 좋아하는 학생 수의 2배입니다.

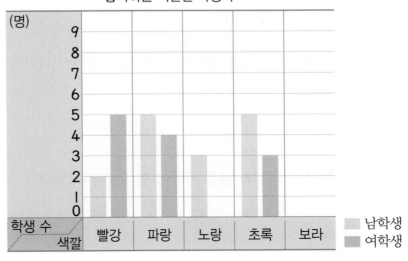

좋아하는 색깔별 학생 수

정답과 풀이 94쪽 ▶

15-3. 그래프의 활용

1 정수, 영호, 민혁이의 50 m 달리기 시합 결과를 나타낸 그래프입니다. 그래프를 보고 물음에 답하시오.

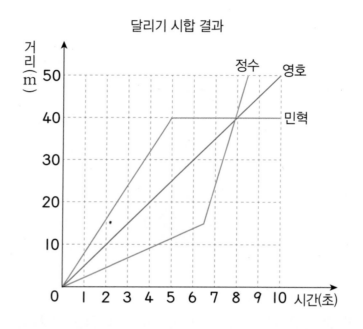

달리기 시합 결과

(1) 가장 먼저 들어온 사람은 누구입니까?

(2) 영호가 결승선에 도착하는 데 걸리는 시간은 몇 초입니까?

(3) 중간에 넘어진 선수가 있다면 누가 몇 m 지점에서 넘어졌습니까?

(4) 등수가 한 번도 바뀌지 않은 사람이 있다면 누구입니까?

달린 거리

거리(m)

0 3 7시간(초)

- ㉠과 ㉡은 같은 지점에서 출발하였습니다.
- ㉠이 ㉡보다 더 많이 기울어졌으므로 더 빠릅니다.
- 3초가 될 때 ㉠은 ㉡보다 3 m 더 이동하였습니다.

최상위 사고력

다음은 시간이 지남에 따라 버스 3대가 민호가 있는 정류장까지 오는 데 남은 거리를 나타낸 그래프입니다. 잘못 설명한 것을 모두 고르시오.

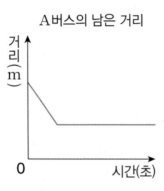

A버스의 남은 거리

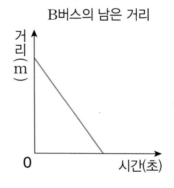

B버스의 남은 거리

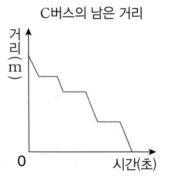

C버스의 남은 거리

① 정류장에 가장 빨리 도착한 버스는 B버스입니다.
② C버스는 중간에 3번 멈췄습니다.
③ B버스는 점점 빨리 달렸습니다.
④ A버스는 고장이 났는지 중간에 멈춰 있습니다.
⑤ C버스가 달린 거리는 B버스가 달린 거리보다 깁니다.

| 경시대회 기출 |

1 다음은 여러 가지 그릇의 높이와 담긴 물의 양을 비교하여 그린 그래프입니다. ( ) 안에 알맞은 기호를 써넣으시오.

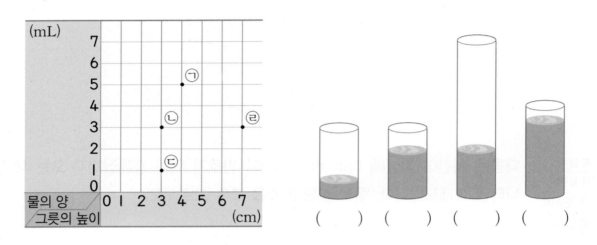

2 어느 과일 가게에서 4주 동안 팔린 사과의 수를 조사하여 나타낸 그림그래프입니다. 사과가 가장 많이 팔린 주는 가장 적게 팔린 주보다 190개 더 팔렸습니다. 4주 동안 팔린 사과의 수가 가장 많을 때와 가장 적을 때의 수를 차례로 구하시오.

주별 팔린 사과의 수

3 오른쪽 물통에 일정하게 물을 채울 때 시간과 물의 높이 사이의
관계를 알맞게 나타낸 그래프를 고르시오.

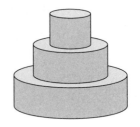

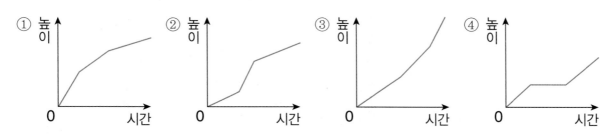

4 다음과 같은 물통에 일정하게 물을 채울 때 시간과 물의 높이 사이의 관계를 그래프로
나타내시오.

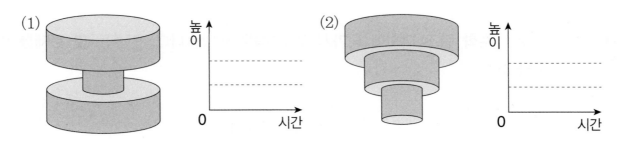

1 승우네 반 학생들이 좋아하는 색깔을 조사하여 나타낸 그래프입니다. 잘못 설명한 것을 고르시오.

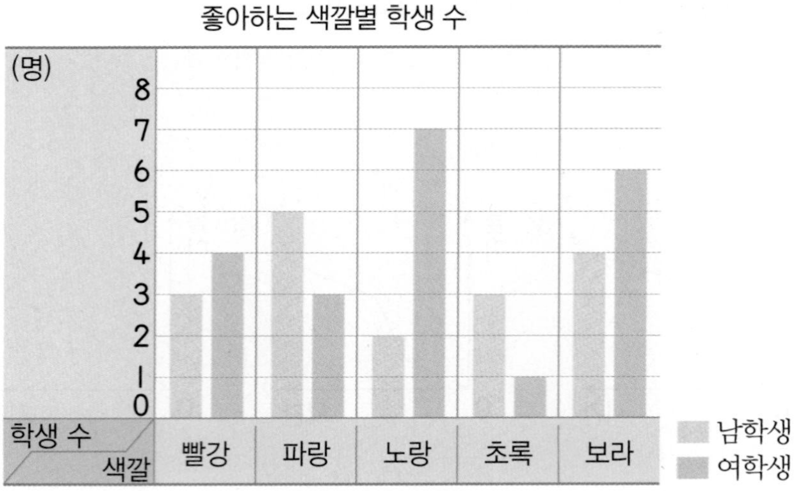

좋아하는 색깔별 학생 수

① 승우네 반 학생 수는 모두 **38**명입니다.

② 초록을 좋아하는 학생 수는 **4**명입니다.

③ 승우네 반은 여학생이 남학생보다 많습니다.

④ 가장 많은 학생들이 좋아하는 색깔은 노랑입니다.

⑤ 여학생보다 남학생이 더 좋아하는 색깔은 파랑과 초록입니다.

2 민수는 수학 퀴즈 대회에 나가서 **200**점을 받았습니다. 민수는 몇 문제를 맞혔는지 구하시오.

문제 수: **30**문제

기본 점수: **50**점

맞힌 문제의 점수: **10**점

틀린 문제의 점수: **5**점 감점

3 다음과 같이 정우, 민수, 희영, 미라는 악기를 연주할 수 있습니다. 4명의 학생들이 음악회에서 서로 다른 악기를 한 가지씩만 연주하려고 할 때 민수는 어떤 악기를 연주해야 하는지 구하시오.

> • 정우는 바이올린과 플루트를 연주합니다.
> • 민수는 피아노와 기타를 연주합니다.
> • 희영이는 바이올린, 플루트, 기타를 연주합니다.
> • 미라는 플루트만 연주할 수 있습니다.

4 다음은 3명이 각자 음료수 1병을 마시면서 시간에 따라 남은 음료수의 양을 나타낸 그래프입니다. 잘못 설명한 것을 모두 고르시오.

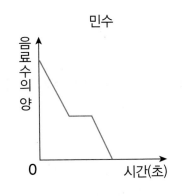
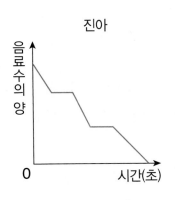
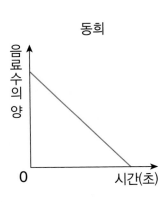

① 진아는 음료수를 중간에 2번 쉬었다 마셨습니다.
② 동희는 한 번도 쉬지 않고 음료수를 마셨습니다.
③ 음료수를 가장 빨리 마신 사람은 동희입니다.
④ 진아는 동희보다 늦게 마셨습니다.
⑤ 음료수를 마신 양이 가장 많은 사람은 진아입니다.

정답과 풀이 97쪽 ▶

5 우리 반 학생 25명이 사는 마을을 조사하여 나타낸 그림그래프입니다. 햇빛 마을에 사는 학생은 은빛 마을에 사는 학생보다 2명 더 많고, 은빛 마을과 달빛 마을에 사는 학생은 8명입니다. 별빛 마을에 사는 학생은 몇 명인지 구하시오.

마을별 학생 수

마을	학생 수
은빛	■ ▲ ▲
햇빛	■ ■ ▲
달빛	■
별빛	● ▲

● ? 명
■ ? 명
▲ ? 명

6 수미는 수학 문제를 10문제씩 모두 6회 풀었습니다. 맞힌 문제 수가 모두 32문제일 때 3회에는 몇 문제를 맞혔는지 구하시오.

• 문제를 모두 틀린 적은 없습니다.
• 1회, 2회, 3회에 맞힌 문제 수는 모두 12문제입니다.
• 5회에는 5문제를 맞았고, 6회에는 5회보다 2문제 더 맞았습니다.
• 1회에 맞힌 문제 수는 2회에 맞힌 문제 수의 3배입니다.
• 각 회에 맞힌 문제 수는 모두 달랐습니다.

Final 평가 1회

이름　　　　　　　점수

01 직사각형 안에 크기가 같은 원 2개를 그렸습니다. 점 ㄱ과 점 ㄴ이 각 원의 중심일 때 선분 ㄱㄴ의 길이는 몇 cm인지 구하시오.

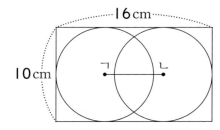

02 ☐ 안에 알맞은 수를 써넣으시오.

$$23 \times \boxed{}\boxed{} = 80\boxed{}$$

03 주어진 수 카드 4장을 한 번씩 사용하여 두 수의 곱셈식을 만들 때 계산 결과가 가장 큰 값과 가장 작은 값을 차례로 구하시오.

$$\boxed{2} \quad \boxed{4} \quad \boxed{5} \quad \boxed{8}$$

04 둘레가 84 m인 원 모양의 호수에 7 m 간격으로 목련나무를 심고, 목련나무와 목련나무 사이에는 세 그루의 벚나무를 심으려고 합니다. 호수 둘레에 심어야 하는 나무는 모두 몇 그루인지 구하시오. (단, 나무의 두께는 생각하지 않습니다.)

05 |조건|에 맞는 수를 모두 구하시오.

┌─────|조건|─────┐
• 4로 나누면 나머지가 3입니다.
• 7로 나누면 나머지가 2입니다.
• 100보다 작습니다.
└──────────────┘

06 다음 계산 결과를 5로 나누었을 때 나머지를 구하시오.

$$\underbrace{3 \times 3 \times 3 \times \cdots\cdots \times 3 \times 3 \times 3}_{200번}$$

07 민수, 영진, 수현이는 둘씩 짝지어서 몸무게를 재었습니다. 세 사람의 몸무게는 각각 몇 kg인지 구하시오.

민수와 수현   영진과 수현   민수와 영진

08 다음 분수를 작은 수부터 차례로 쓰시오.

$$\frac{15}{8} \qquad 1\frac{5}{12} \qquad \frac{15}{6} \qquad 1\frac{17}{18} \qquad \frac{16}{9}$$

09 승우, 민지, 태수, 아름이는 1학년, 2학년, 3학년, 4학년 중 서로 다른 학년입니다. 아름이는 몇 학년인지 구하시오.

> • 승우는 1, 3학년이 아닙니다.
> • 민지는 **2**학년입니다.
> • 태수는 **3**학년이 아닙니다.

10 진우는 동생에게 가진 사탕의 $\dfrac{2}{3}$보다 5개를 더 주고, 형에게 남은 사탕의 $\dfrac{3}{5}$보다 1개를 더 주었더니 사탕이 1개 남았습니다. 진우가 처음에 가지고 있던 사탕은 모두 몇 개인지 구하시오.

Final 평가 2회

01 가로, 세로에 있는 세 수의 곱이 모두 같도록 빈칸에 알맞은 수를 써넣으시오.

	6	
	1	4
	10	

02 수 배열표에서 색칠한 부분의 수의 합을 구하시오.

1	2	3	4	5	6	7	8	9	10
11	12	13	14	15	16	17	18	19	20
21	22	23	24	25	26	27	28	29	30
31	32	33	34	35	36	37	38	39	40
41	42	43	44	45	46	47	48	49	50
51	52	53	54	55	56	57	58	59	60

03 □ 안에 알맞은 수를 써넣어 나눗셈식을 완성하시오.

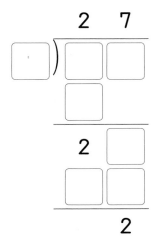

04 여러 개의 원과 원의 일부분을 이용하여 만든 모양입니다. 원의 중심은 모두 몇 개인지 구하시오.

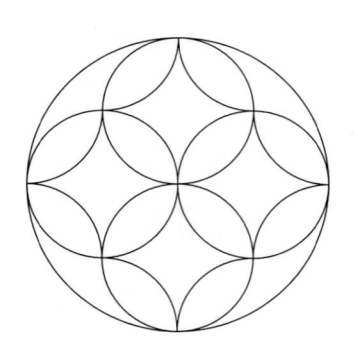

05 어떤 수를 3으로 나누면 몫이 127이고, 나머지가 2입니다. 이 수를 8로 나눈 몫과 나머지를 차례로 구하시오.

06 저울과 무게가 3g, 7g인 추가 각각 두 개씩 있습니다. 저울의 양쪽 접시에 추를 모두 놓을 수 있을 때 잴 수 있는 무게는 모두 몇 가지인지 구하시오.

09 다음과 같은 규칙으로 분수를 놓았습니다. 58번째에 놓일 분수를 구하시오.

$$\frac{1}{2}, \frac{1}{3}, \frac{2}{2}, \frac{1}{4}, \frac{2}{3}, \frac{3}{2} \cdots$$

10 어느 해 6월의 달력입니다. 같은 해 크리스마스는 무슨 요일인지 구하시오.

6월

일	월	화	수	목	금	토
						1
2	3	4	5	6	7	8
9	10	11	12	13	14	15
16	17	18	19	20	21	22
23	24	25	26	27	28	29
30						

TIP 크리스마스는 12월 25일입니다.

07 한 변의 길이가 15cm인 정사각형의 각 꼭짓점을 원의 중심으로 크기가 서로 다른 원의 일부분 4개를 그렸습니다. ㉠의 길이는 몇 cm인지 구하시오.

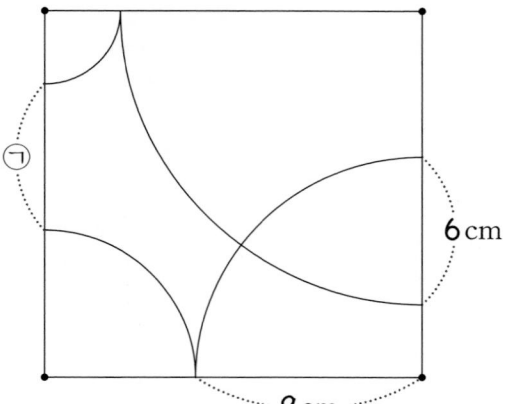

08 모양과 크기가 같은 4개의 금화 중 1개는 무게가 다른 가짜 금화입니다. 가짜 금화에 적힌 수를 쓰고, 가짜 금화의 무게가 다른 금화의 무게보다 무거운지 가벼운지 쓰시오.

최상위
연산은
수학이다.

1~6학년(학기용)

단순 계산이 아닌
수학 원리를
알아가는
수학 공부의 첫 걸음,
같아 보이지만
완전히 다른 연산!

초등수학은 디딤돌!

아이의 학습 능력과 학습 목표에 따라
맞춤 선택을 할 수 있도록
다양한 교재를 제공합니다.

문제해결력 강화 문제유형, 응용

개념 다지기 원리, 기본

연산력 강화

최상위 연산

최상위
연산은
수학이다.

개념＋문제해결력 강화를 동시에

기본＋유형, 기본＋응용

정답과 풀이

초등 **3B**

상위권의 기준

최상위
사고력

초 **3B**

I 연산(1)

1-1. 큰 곱, 작은 곱

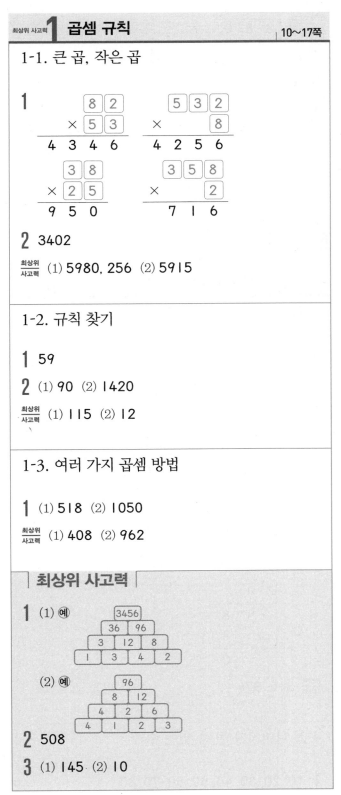

1

	8	2
×	5	3
4	3	4	6

	5	3	2
×			8
4	2	5	6

	3	8
×	2	5
9	5	0

	3	5	8
×			2
	7	1	6

2 3402

최상위 사고력 (1) 5980, 256 (2) 5915

1-2. 규칙 찾기

1 59

2 (1) 90 (2) 1420

최상위 사고력 (1) 115 (2) 12

1-3. 여러 가지 곱셈 방법

1 (1) 518 (2) 1050

최상위 사고력 (1) 408 (2) 962

| 최상위 사고력 |

1 (1) 예

```
        3456
      36    96
    3    12    8
  1    3    4    2
```

(2) 예

```
        96
      8    12
    4    2    6
  4    1    2    3
```

2 508

3 (1) 145 (2) 10

2-1. 연속수의 합

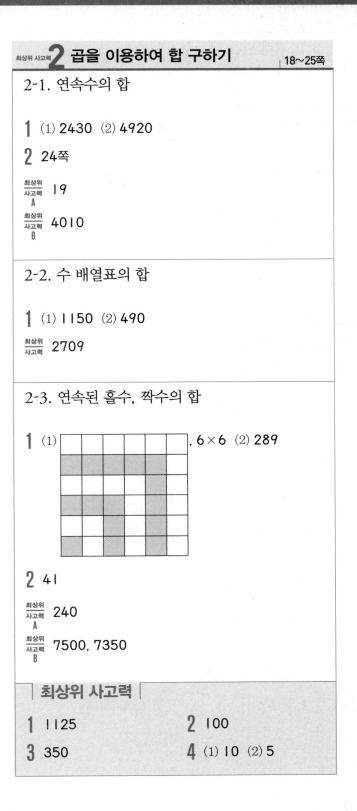

1 (1) 2430 (2) 4920

2 24쪽

최상위 사고력 A 19

최상위 사고력 B 4010

2-2. 수 배열표의 합

1 (1) 1150 (2) 490

최상위 사고력 2709

2-3. 연속된 홀수, 짝수의 합

1 (1) ▢, 6×6 (2) 289

2 41

최상위 사고력 A 240

최상위 사고력 B 7500, 7350

| 최상위 사고력 |

1 1125   **2** 100

3 350   **4** (1) 10 (2) 5

3-1. 벌레 먹은 셈

1
```
    3 [5] 7          3 3 7
  ×     [7]        ×     [8]
  2 [4] 9 9        2 6 9 [6]
```

2
```
    2 6 7                 2 7 3
  ×     2      또는     ×     2      또는
    5 3 4                 5 4 6
```
```
    3 2 7
  ×     2
    6 5 4
```

최상위 사고력
```
        2 [7]
  ×   [6] 3
      [8] 1
  1 [6] 2
  1 7 0 1
```

3-2. 복면산

1 (1) 1, 5, 6 (2) 7, 5, 3, 2, 6

최상위 사고력 A 1, 2, 4

최상위 사고력 B 2

3-3. 조건에 맞는 수

1 296   **2** 75   최상위 사고력 46

최상위 사고력

1 6, 2, 5   **2** 86쪽, 87쪽

3
```
    4 [3] 2            4 [8] 2
  ×     [8]          ×     [8]
  3 [4] 5 6          3 8 5 6
```

4 6, 3, 4, 7

1
```
  [3][7][6]
  ×     [5]
  1 8 8 0
```
2 437

3 (1) 225 (2) 600

4 1113

5 2236, 2226

6 3, 8, 0

II 연산(2)

4-1. 벌레 먹은 나눗셈식

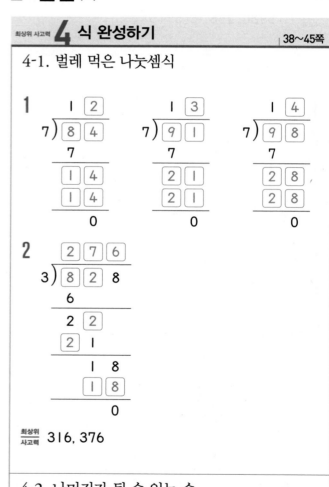

최상위 사고력 316, 376

4-2. 나머지가 될 수 있는 수

1 10, 20, 30, 40, 50, 60, 70, 80

2 $30 \div 8 = 3 \cdots 6$, $30 \div 12 = 2 \cdots 6$, $30 \div 24 = 1 \cdots 6$

최상위 사고력 53

4-3. 수 카드로 나눗셈식 만들기

1 $14 \div 3 = 4 \cdots 2$, $41 \div 3 = 13 \cdots 2$, $12 \div 5 = 2 \cdots 2$,
$32 \div 5 = 6 \cdots 2$, $42 \div 5 = 8 \cdots 2$

2 (1) $87 \div 3 = 29$
(2) $47 \div 8 = 5 \cdots 7$ (또는 $63 \div 8 = 7 \cdots 7$)

최상위 사고력 A **21개**

최상위 사고력 B **34**

최상위 사고력

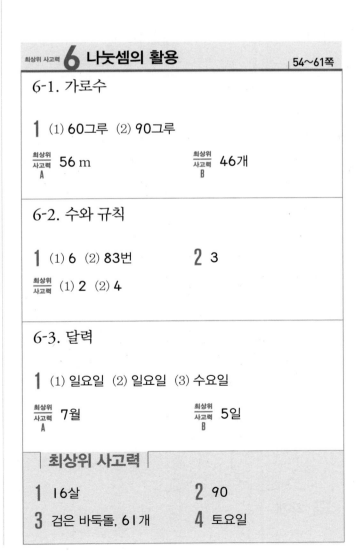

1

```
      6 4
 7 ) 4 5 3
     4 2
     ----
       3 3
       2 8
       ----
         5
```

2 16개

3 144

4 (1) 7 (2) 12

---

5 조건과 나눗셈
46~53쪽

5-1. 수 배열과 수 찾기

1

1	2	3	4	5	6	7	8	9	10
11	12	13	14	15	16	17	18	19	20
21	22	23	24	25	26	27	28	29	30
31	32	33	34	35	36	37	38	39	40
41	42	43	44	45	46	47	48	49	50
51	52	53	54	55	56	57	58	59	60
61	62	63	64	65	66	67	68	69	70
71	72	73	74	75	76	77	78	79	80
81	82	83	84	85	86	87	88	89	90
91	92	93	94	95	96	97	98	99	100

최상위 사고력 A **②, ⑤**

최상위 사고력 B **3일**

5-2. 어떤 수 구하기

1 48

2 74, 81, 88, 95

최상위 사고력 **40**

5-3. 조건에 맞는 수

1 87

2 22개

최상위 사고력 **46살**

최상위 사고력

1 39

2 0

3 34개

4 21송이

---

6 나눗셈의 활용
54~61쪽

6-1. 가로수

1 (1) 60그루 (2) 90그루

최상위 사고력 A **56 m**

최상위 사고력 B **46개**

6-2. 수와 규칙

1 (1) 6 (2) 83번

2 3

최상위 사고력 (1) 2 (2) 4

6-3. 달력

1 (1) 일요일 (2) 일요일 (3) 수요일

최상위 사고력 A **7월**

최상위 사고력 B **5일**

최상위 사고력

1 16살

2 90

3 검은 바둑돌, 61개

4 토요일

Review II 연산(2)

62~64쪽

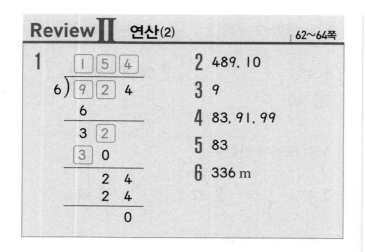

1

```
      1 5 4
   6) 9 2 4
      6
      3 2
      3 0
        2 4
        2 4
        0
```

2 489, 10

3 9

4 83, 91, 99

5 83

6 336 m

III 도형

최상위 사고력 7 원과 도형의 수

66~73쪽

7-1. 원의 수

1 19개

최상위 사고력 25개

7-2. 원 위의 점을 이은 선분

1 예

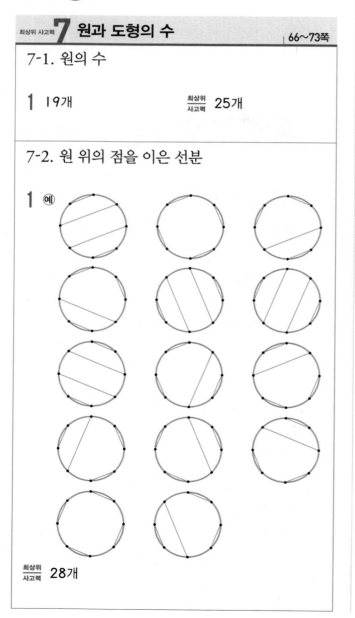

최상위 사고력 28개

7-3. 조건에 맞게 원 나누기

1 예

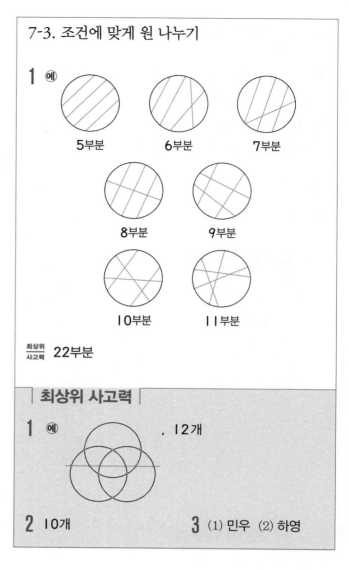

5부분　　6부분　　7부분

8부분　　9부분

10부분　　11부분

최상위 사고력 22부분

최상위 사고력

1 예 　　　, 12개

2 10개

3 (1) 민우　(2) 하영

8-1. 원의 지름과 반지름

1 20 cm **2** 6개, 3 cm 최상위 사고력 81 cm

8-2. 원을 둘러싼 도형

1 900 cm **2** 18개 최상위 사고력 5 cm

8-3. 원과 다각형

1 6 cm **2** 6 cm 최상위 사고력 28 cm

최상위 사고력

1
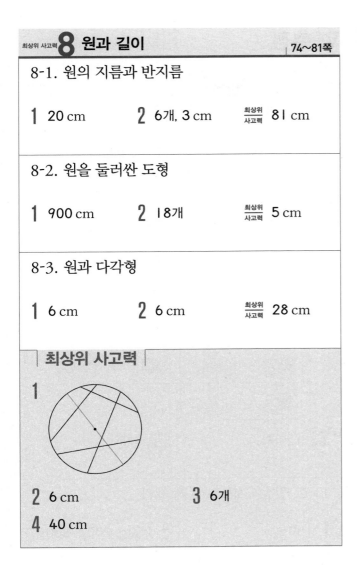

2 6 cm **3** 6개

4 40 cm

Review **III** 도형 | 82~84쪽

1 210 cm **2** 19번 **3** 21개

4 36 cm **5** 9 cm **6** 29부분

IV 수

9-1. 크기가 같은 분수

1 (1) $\frac{1}{4}$, $\frac{2}{8}$ (2) $\frac{3}{8}$, $\frac{6}{16}$

(3) $\frac{1}{3}$, $\frac{2}{6}$, $\frac{3}{9}$ (4) $\frac{1}{2}$, $\frac{2}{4}$, $\frac{3}{6}$, $\frac{4}{8}$

최상위 사고력 A 31 최상위 사고력 B $\frac{17}{24}$

9-2. 분수의 크기 비교

1 2개

2

$\frac{19}{15}$ — $\frac{19}{15}$ — $\frac{19}{10}$ — $\frac{19}{10}$

$\frac{19}{15}$ · $1\frac{1}{3}$ · $\frac{19}{10}$ · $\frac{23}{12}$

$1\frac{1}{3}$ · $\frac{23}{12}$ · $\frac{23}{12}$

최상위 사고력 $1\frac{13}{15}$, $1\frac{8}{10}$, $\frac{19}{11}$, $1\frac{2}{5}$, $1\frac{1}{4}$

9-3. 수 카드로 분수 만들기

1 $\frac{8}{24}$, $\frac{87}{2}$, $8\frac{4}{5}$ **2** 12개

최상위 사고력 $\frac{26}{3}$, $\frac{28}{3}$, $\frac{23}{6}$, $\frac{28}{6}$, $\frac{32}{6}$, $\frac{38}{6}$,

$\frac{23}{8}$, $\frac{26}{8}$, $\frac{32}{8}$, $\frac{36}{8}$, $\frac{62}{8}$, $\frac{63}{8}$

최상위 사고력

1 $\frac{2}{3}$, $\frac{3}{4}$ **2** 10개

3 20개 **4** 24개

10-1. 조건에 맞는 분수

1

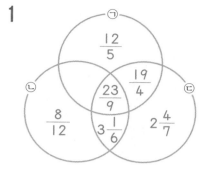

$\dfrac{12}{5}$

ㄱ

ㄴ $\dfrac{19}{4}$ ㄷ

$\dfrac{23}{9}$

$\dfrac{8}{12}$ $3\dfrac{1}{6}$ $2\dfrac{4}{7}$

최상위
사고력
A $\dfrac{5}{3}, \dfrac{6}{4}, \dfrac{7}{4}, \dfrac{7}{5}, \dfrac{8}{5}, \dfrac{9}{5}, \dfrac{8}{6}$

최상위
사고력
B $\dfrac{52}{9}$

10-2. 규칙과 분수

1 (1) $\dfrac{18}{20}$ (2) $2\dfrac{5}{8}$ (3) $\dfrac{34}{55}$

2 $\dfrac{5}{7}$ 최상위 사고력 10번째, 8

10-3. 분수 문장제

1 17일째   **2** 1100 g

최상위
사고력
A 32쪽   최상위
사고력
B 48권

| 최상위 사고력 |

1 $\dfrac{5}{2}, \dfrac{7}{3}, \dfrac{8}{3}, \dfrac{9}{4}$ **2** 22번째

3 18개   **4** 80 cm

Review **IV** 수 |102～104쪽

1 8개   **2** $11\dfrac{7}{9}$

3 $\dfrac{16}{5}, \dfrac{19}{6}, 2\dfrac{7}{9}, \dfrac{22}{8}, 2\dfrac{1}{4}$

4 $\dfrac{4}{9}, \dfrac{5}{11}, \dfrac{6}{13}$

5 $9\dfrac{3}{4}, 3\dfrac{4}{8}$ **6** 32개

V 측정

11-1. 윗접시저울로 잴 수 있는 무게

1

방법		방법	
1g	= 1g	8g 1g	= 9g
2g 1g	= 3g	9g	= 9g
3g	= 3g	10g	= 9g
4g	= 3g 3g	11g	= 9g 3g
5g 3g	= 9g	12g	= 9g 3g
6g 3g	= 9g 1g	13g	= 9g 3g 1g
7g 3g	= 9g 1g		

최상위
사고력
A 12가지   최상위
사고력
B 5가지

11-2. 윗접시저울로 무게 재기

1 150g   **2** 250g, 200g, 300g

최상위
사고력 28g, 14g, 60g, 8g

11-3. 여러 가지 저울로 무게 재기

1 (1) 9 (2) 8   **2** 160g, 80g, 140g

최상위
사고력 400g

| 최상위 사고력 |

1 8개   **2** ②, ④

3 20g, 60g   **4** 25g

12-1. 나누어진 무게

1

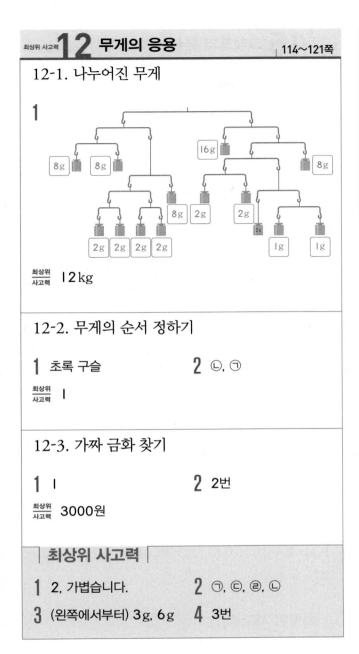

최상위 사고력 **12 kg**

12-2. 무게의 순서 정하기

1 초록 구슬　　　**2** ⓒ, ㉠

최상위 사고력 **1**

12-3. 가짜 금화 찾기

1 I　　　　　**2** 2번

최상위 사고력 **3000원**

1 2, 가볍습니다.　　**2** ㉠, ㉢, ㉣, ㉡

3 (왼쪽에서부터) 3g, 6g　**4** 3번

13-1. 들이의 계산

1 ③, ⑤　　　　**2** 4 L, 2 L, I L

최상위 사고력 **22컵**

13-2. 눈금 없는 그릇으로 들이 재기

1 (1) 풀이 참조　(2) 풀이 참조

최상위 사고력 **I2 L**

13-3. 최소 횟수로 들이 재기

1 7번　　　　**2** 3번

최상위 사고력 **7번**

1 3번　　　　**2** 3번

3 9번　　　　**4** I I번

Review **V** 측정　　| 130~132쪽

1 200 mL　　　**2** ㉡, ㉠, ㉢

3 10가지　　　**4** 320 g, 160 g, 200 g

5 5번　　　　**6** 4 g

Ⅵ 확률과 통계

14-1. 조건과 표 그리기

1 (왼쪽에서부터) 8, 5, 2

2 (왼쪽에서부터) 9, 6, 4, 8, 3

최상위 사고력 4, 3, 4

14-2. 연역표

1 4반

2 박씨, 11살

최상위 사고력 2번, 3번, 4번, 1번

14-3. 표 만들어 해결하기

1 10번

2 5문제

최상위 사고력 A 18마리

최상위 사고력 B 25명

│ 최상위 사고력 │

1 형규

2 A: 요리사, 수영 선수 / B: 가수, 변호사 / C: 의사, 배우

3 (1) 42점, 45점 　 (2) 44점, 47점, 45점

15-1. 그림그래프

1 260 /

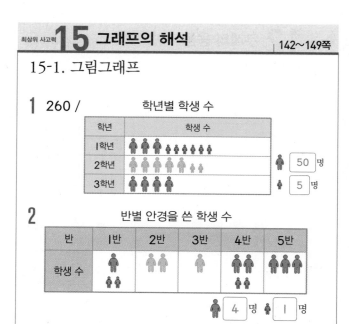

2

반별 안경을 쓴 학생 수

최상위 사고력 4, 8

15-2. 여러 가지 그래프

1 ②, ④

최상위 사고력 A 9권, 1권, 5권

최상위 사고력 B 9명

15-3. 그래프의 활용

1 (1) 정수　(2) 10초　(3) 민혁, 40 m 지점　(4) 영호

최상위 사고력 ③, ⑤

│ 최상위 사고력 │

1 ㉢, ㉡, ㉣, ㉠

2 999개, 798개

3 ③

4

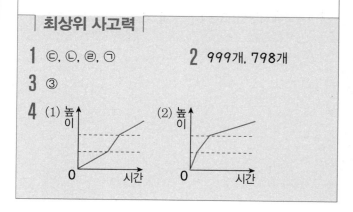

Review Ⅵ 확률과 통계 | 150~152쪽

1 ④

2 20문제

3 피아노

4 ③, ⑤

5 10명

6 4문제

1회
1~4쪽

01 6 cm

02 23 × ③ ⑤ = 80 ⑤

03 4428, 916

04 48그루

05 23, 51, 79

06 1

07 민수: 56 kg, 영진: 49 kg, 수현: 42 kg

08 $1\frac{5}{12}$, $\frac{16}{9}$, $\frac{15}{8}$, $1\frac{17}{18}$, $\frac{15}{6}$

09 3학년

10 30개

2회
5~8쪽

01

2	6	5
15	1	4
2	10	3

02 732

03
```
        2   7
  ③) ⑧   3
      ⑥
      2   ③
      ② ①
          2
```

04 13개

05 47, 7

06 12가지

07 6 cm

08 3, 무겁습니다.

09 $\frac{3}{10}$

10 수요일

I 연산(1)

이번 단원에서는 (세 자리 수)×(한 자리 수), (두 자리 수)×(두 자리 수)를 바탕으로 곱셈에 관한 다양한 사고력 주제에 대해 다루게 됩니다.

주제별로 문제 상황에 맞게 어림을 하거나 다양한 방법으로 계산 방법을 탐구하도록 합니다.

1 곱셈 규칙에서는 큰 곱, 작은 곱, 규칙 찾기, 고대 이집트의 곱셈 방법 등을 차례로 학습하며 곱셈을 얼마나 유연하게 잘 사용하는지를 확인합니다.

2 곱을 이용하여 합 구하기에서는 수학에서 곱셈이 유용하게 활용되는 주제인 연속수의 합, 수 배열표의 합, 홀수와 짝수의 합을 학습하며 곱셈의 유용함을 느끼게 됩니다.

3 복면산과 벌레 먹은 셈에서는 수 연산 퍼즐에서 주로 다루는 벌레 먹은 셈, 복면산, 조건에 맞는 수를 풀며 예상하고 확인하기, 추론력 등 수 연산 감각을 기르는 주제로 마무리합니다.

이번 단원을 지도할 때에는 다양한 형태의 곱셈 계산 원리와 방법을 스스로 발견할 수 있도록 환경을 조성하도록 합니다. 고대 이집트의 곱셈 방법, 복면산, 벌레 먹은 셈 등을 통해 곱셈의 원리를 스스로 탐구할 수 있는 기회를 제공해야 합니다. 이번 단원에서 학습하는 다양한 형태의 곱셈은 고학년에서 학습하게 되는 넓이 개념 등의 바탕이 됩니다.

최상위 사고력 **1** 곱셈 규칙

1-1. 큰 곱, 작은 곱

10~11쪽

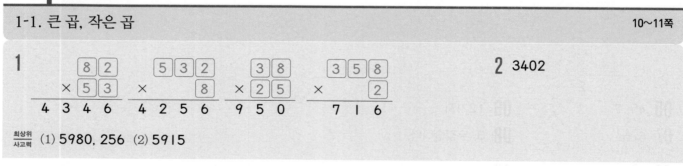

1

8 2 × 5 3	5 3 2 × 8	3 8 × 2 5	3 5 8 × 2
4 3 4 6	4 2 5 6	9 5 0	7 1 6

2 3402

최상위 사고력 (1) 5980, 256 (2) 5915

저자 톡! 4장의 수 카드로 만들 수 있는 곱은 (세 자리 수)×(한 자리 수), (두 자리 수)×(두 자리 수)로 두 가지입니다. 이 중에서 계산 결과가 가장 큰 곱과 가장 작은 곱을 만들기 위한 방법을 학습합니다.

1 · 두 수의 곱의 천의 자리 숫자가 4가 되려면 2, 3, 5, 8 중에서 8과 5를 ㉠과 ㉡에 각각 써넣어야 합니다.

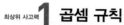

> 해결 전략
> 계산 결과를 보고 어림하여 높은 자리에 들어가야 할 수를 알아봅니다.

그런 다음 사용하지 않은 2와 3을 □ 안에 알맞게 써넣습니다.

8 2 × 5 3	5 3 2 × 8
4 3 4 6	4 2 5 6

- 두 수의 곱이 세 자리 수가 되려면 2, 3, 5, 8 중에서 3과 2를 ㉠과 ㉡에 각각 써넣어야 합니다.

그런 다음 사용하지 않은 5와 8을 □ 안에 알맞게 써넣습니다.

$$\begin{array}{r} 3\ 8 \\ \times\ 2\ 5 \\ \hline 9\ 5\ 0 \end{array} \qquad \begin{array}{r} 3\ 5\ 8 \\ \times\quad\ 2 \\ \hline 7\ 1\ 6 \end{array}$$

2 4장의 수 카드로 만들 수 있는 두 수의 곱은 다음과 같이 두 가지입니다.

각각의 경우에 계산 결과가 가장 크게 되도록 수를 써넣어 더 큰 값을 찾습니다.

두 가지 형태의 곱셈에서 가장 큰 곱을 만들려면 ①, ②, ③, ④의 순서로 가장 큰 수를 써넣어야 합니다.

$$\begin{array}{r} ②③ \\ \times\ ①④ \\ \hline \end{array} \qquad \begin{array}{r} ②③④ \\ \times\quad\ ① \\ \hline \end{array}$$

4장의 수 카드의 수를 위의 순서에 따라 써넣어 계산하면 다음과 같습니다.

$$\begin{array}{r} 5\ 4 \\ \times\ 6\ 3 \\ \hline 3\ 4\ 0\ 2 \end{array} \qquad \begin{array}{r} 5\ 4\ 3 \\ \times\quad\ 6 \\ \hline 3\ 2\ 5\ 8 \end{array}$$

따라서 3402>3258이므로 계산 결과가 가장 큰 값은 3402입니다.

최상위 사고력 (1) • 계산 결과가 가장 큰 값을 만들려면 ①, ②, ③, ④의 순서로 가장 큰 수를 써넣어야 합니다.

$$\begin{array}{r} ②③ \\ \times\ ①④ \\ \hline \end{array} \Rightarrow \begin{array}{r} 6\ 5 \\ \times\ 9\ 2 \\ \hline 5\ 9\ 8\ 0 \end{array} \qquad \begin{array}{r} ②③④ \\ \times\quad\ ① \\ \hline \end{array} \Rightarrow \begin{array}{r} 6\ 5\ 2 \\ \times\quad\ 9 \\ \hline 5\ 8\ 6\ 8 \end{array}$$

따라서 5980>5868이므로 계산 결과가 가장 큰 값은 5980입니다.

• 계산 결과가 가장 작은 값을 만들려면 ①, ②, ③, ④의 순서로 가장 작은 수를 써넣어야 합니다.

$$\begin{array}{r} ②④ \\ \times\ ①③ \\ \hline \end{array} \Rightarrow \begin{array}{r} 2\ 6 \\ \times\ 1\ 5 \\ \hline 3\ 9\ 0 \end{array} \qquad \begin{array}{r} ②③④ \\ \times\quad\ ① \\ \hline \end{array} \Rightarrow \begin{array}{r} 2\ 5\ 6 \\ \times\quad\ 1 \\ \hline 2\ 5\ 6 \end{array}$$

따라서 256<390이므로 계산 결과가 가장 작은 값은 256입니다.

해결 전략
4장의 수 카드로 만들 수 있는 두 수의 곱은 (두 자리 수)×(두 자리 수), (세 자리 수)×(한 자리 수)로 두 가지입니다.

해결 전략
(두 자리 수)×(두 자리 수), (세 자리 수)×(한 자리 수)에 가장 큰 곱과 가장 작은 곱을 각각 구하여 서로 비교해 봅니다.

(2) 계산 결과가 두 번째로 큰 값은 주어진 수 카드 중에서 9, 6, 5, 1
을 골라 한 번씩 사용하여 가장 큰 값을 만듭니다.

따라서 5915>5890이므로 계산 결과가 두 번째로 큰 값은
5915입니다.

보충 개념
계산 결과가 가장 큰 값을 만드는 방법에서
일의 자리 숫자의 자리를 바꾼 곱도 구해 비
교해 봅니다.
➡ 62×95=5890<5915

1-2. 규칙 찾기
12~13쪽

1 59   **2** (1) 90 (2) 1420   최상위 사고력 (1) 115 (2) 12

저자 톡! 덧셈, 뺄셈, 곱셈, 나눗셈을 기초로 한 모양이 나타내는 규칙을 찾고, 규칙에 맞게 계산 결과를 구하는 내용입니다. 필요한 연산이 무
엇인지 알아내는 것도 중요하지만 연산의 순서도 다양하게 바꾸어 보며 예상하고 확인하기 방법으로 모양이 나타내는 규칙을 찾아봅니다.

1 위의 두 수의 곱과 아래 두 수의 곱을 더한 값이 가운데 수가 되는 규
칙입니다.
따라서 빈 곳에 알맞은 수는 7×5+6×4=35+24=59입니다.

보충 개념
$3×2+4×5=6+20=26$
$2×6+3×7=12+21=33$
$4×6+8×2=24+16=40$

2 ★: 두 수의 곱에 1을 빼기
➡ ㉠★㉡=㉠×㉡−1
◎: 앞의 수에 1을 더하여 뒤의 수와 곱하기
(또는 두 수의 곱에 뒤의 수를 더하기)
➡ ㉠◎㉡=(㉠+1)×㉡ (또는 ㉠×㉡+㉡)
(1) 5★6=5×6−1=30−1=29
29◎3=(29+1)×3=30×3=90
(2) 6◎7=(6+1)×7=7×7=49
49★29=49×29−1=1421−1=1420

해결 전략
먼저 주어진 식을 보고 ★과 ◎의 규칙을 찾
습니다.

최상위 사고력

안의 네 수에서 대각선 방향에 있는 두 수의 곱의 차를 구하는
규칙입니다.

$$\begin{vmatrix} ㉠ & ㉡ \\ ㉢ & ㉣ \end{vmatrix}=㉠×㉣−㉡×㉢$$

(1) 8×25−5×17=200−85=115
(2) 16×15−10×□=120, 240−10×□=120,
10×□=120, □=12

보충 개념
$4×2−1×5=8−5=3$
$5×4−3×2=20−6=14$
$4×7−6×3=28−18=10$

1 (1) 518 (2) 1050　　　최상위 사고력 (1) 408 (2) 962

---

1 왼쪽에는 1부터 2를 곱하여 아래에 쓰고, 오른쪽에는 곱하는 수에 2를 곱하여 아래에 씁니다.

그런 다음 왼쪽의 수 중에서 더했을 때 곱해지는 수가 되는 수를 찾아 모두 ○표 하고, ○표 한 수의 오른쪽에 있는 수를 모두 더한 값이 두 수의 곱이 됩니다.

(1) $14 \times 37 = 518$

1	37
②	74
④	148
⑧	296
	518

(2) $25 \times 42 = 1050$

①	42
2	84
4	168
⑧	336
⑯	672
	1050

보충 개념
(1) $14 \times 37 = (2+4+8) \times 37$
$= 2 \times 37 + 4 \times 37 + 8 \times 37$
$= 74 + 148 + 296$
$= 518$
(2) $25 \times 42 = (1+8+16) \times 42$
$= 1 \times 42 + 8 \times 42 + 16 \times 42$
$= 42 + 336 + 672$
$= 1050$

최상위 사고력 왼쪽에는 곱해지는 수부터 곱해지는 수를 2로 나눈 몫을 아래에 쓰고, 오른쪽에는 곱하는 수부터 곱하는 수에 2를 곱한 값을 아래에 씁니다. 몫이 1이 될 때까지 나눈 왼쪽 수 중에서 홀수인 수의 오른쪽 수를 모두 더한 값이 두 수의 곱이 됩니다.

(1) $17 \times 24 = 408$

⑰	24
8	48
4	96
2	192
①	384
	408

(2) $26 \times 37 = 962$

26	37
⑬	74
6	148
③	296
①	592
	962

보충 개념
(1) $17 \times 24 = (1 + 8 \times 2) \times 24$
$= 1 \times 24 + 8 \times 2 \times 24$
$= 1 \times 24 + 8 \times 48$
$= 1 \times 24 + 4 \times 2 \times 48$
$= 1 \times 24 + 4 \times 96$
$= 1 \times 24 + 2 \times 2 \times 96$
$= 1 \times 24 + 2 \times 192$
$= 1 \times 24 + 1 \times 2 \times 192$
$= 1 \times 24 + 1 \times 384$
$= 24 + 384$
$= 408$

최상위 사고력

16~17쪽

1 (1) 예  (2) 예 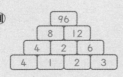　　**2** 508　　**3** (1) 145 (2) 10

1 (1) 가장 위쪽의 수가 가장 크려면 가장 아래 칸 중에서 가운데 부분에 큰 수를 놓아야 합니다.

예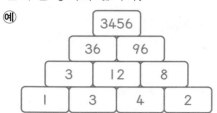

해결 전략
아래에 있는 두 수의 곱을 구하여 위에 쓰는 규칙입니다.

(2) 가장 위쪽의 수가 가장 작으려면 가장 아래 칸 중에서 가운데 부분에 작은 수를 놓아야 합니다.

예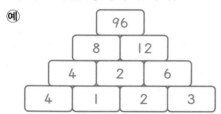

2 계산 결과가 가장 작은 곱을 만들려면 ①, ②, ③, ④의 순서로 가장 작은 수를 써넣어야 합니다.

해결 전략
4장의 수 카드로 만들 수 있는 두 수의 곱은 (두 자리 수)×(두 자리 수), (세 자리 수)×(한 자리 수)입니다. 각 경우에 가장 작은 곱을 각각 구하여 서로 비교해 봅니다.

① (두 자리 수)×(두 자리 수)인 경우

가장 작은 값

$$
\begin{array}{r}
2\ 5 \\
\times\ 2\ 4 \\
\hline
6\ 0\ 0
\end{array}
$$

② (세 자리 수)×(한 자리 수)인 경우

가장 작은 값

$$
\begin{array}{r}
2\ 4\ 5 \\
\times\ \ \ \ 2 \\
\hline
4\ 9\ 0
\end{array}
$$

두 번째로 작은 값

$$
\begin{array}{r}
2\ 4\ 8 \\
\times\ \ \ \ 2 \\
\hline
4\ 9\ 6
\end{array}
$$

세 번째로 작은 값

$$
\begin{array}{r}
2\ 5\ 4 \\
\times\ \ \ \ 2 \\
\hline
5\ 0\ 8
\end{array}
$$

따라서 계산 결과가 세 번째로 작은 값은 **508**입니다.

3 ◆ : 앞의 수와 뒤의 수를 각각 2번씩 곱한 후 더하기

➡ ㉠◆㉡=㉠×㉠+㉡×㉡

▽ : 두 수의 합을 2로 나누기

➡ ㉠▽㉡=(㉠+㉡)÷2

(1) $12 ▽ 6 = (12+6) \div 2 = 18 \div 2 = 9$

　　$9 ◆ 8 = 9 \times 9 + 8 \times 8 = 81 + 64 = 145$

해결 전략
먼저 주어진 식을 보고 ◆과 ▽의 규칙을 찾습니다.

(2) □◆8의 값을 A라고 하여 A가 나타내는 수를 먼저 구합니다.

$A \triangledown 24=94$, $(A+24) \div 2=94$, $A+24=188$, $A=164$

□◆8=164, □×□+8×8=164, □×□+64=164,

□×□=100, □=10

2 곱을 이용하여 합 구하기

2-1. 연속수의 합

1 (1) 2430 (2) 4920

19

2 24쪽

4010

1 (1) $(11+70) \times 60 \div 2=81 \times 60 \div 2=4860 \div 2=2430$

(2) 100부터 140까지의 수의 합을 구합니다.

$(100+140) \times 41 \div 2=240 \times 41 \div 2=9840 \div 2=4920$

> **해결 전략**
> 가우스는 연속수의 합을 구할 때 (가장 작은 수+가장 큰 수)×(연속수의 개수)÷2의 규칙을 사용하였습니다. 이 방법을 이용하여 연속수의 합을 구합니다.

2 승우가 읽은 책의 쪽수 중 가운데 쪽수를 □라 하여 책의 쪽수를 나타내면 다음과 같습니다.

□−4, □−3, □−2, □−1, □, □+1, □+2, □+3, □+4

이 9개의 연속수들의 합은 □×9입니다.

쪽수의 합이 180이므로 □×9=180, □=20이고, 승우가 읽은 소설책의 마지막 쪽수는 □+4=20+4=24(쪽)입니다.

> **해결 전략**
> 책의 쪽수는 1, 2, 3, 4……와 같이 연속수입니다.

1부터 ★까지의 연속수의 합은 홀수의 합과 짝수의 합을 더한 값이므로 $90+100=190$입니다.

1부터 ★까지의 연속수의 합을 간단히 구하는 식은 $(1+★) \times ★ \div 2$ 이므로 $(1+★) \times ★ \div 2=190$, $(1+★) \times ★=380$이고,

$20 \times 19=380$이므로 ★=19입니다.

각 행의 수들은 오른쪽으로 갈수록 1씩 커집니다.

아래로 내려갈수록 각 행의 첫째 수는 1, 2, 3, 4……씩 커집니다.

20행의 첫째 수는

$1+1+2+3+\cdots+19=1+20 \times 19 \div 2$
$=1+380 \div 2=1+190=191$

입니다. 20행에 있는 수는 모두 20개이므로 20행의 수는

191, 192, 193……210입니다.

따라서 20행의 수를 모두 더하면

$(191+210) \times 20 \div 2=401 \times 20 \div 2=8420 \div 2=4010$입니다.

> **해결 전략**
> □행의 첫째 수는
> $1+1+2+3+\cdots+(□-1)$입니다.

1 (1) 1150 (2) 490   최상위
사고력 2709

저자 톡! 수 배열표에 있는 여러 개의 수의 합을 구할 때 간단히 구하는 방법에 대해 학습합니다. 여러 가지 방법이 있으므로 또 다른 방법이 있는지 스스로 찾아보고, 계산기보다도 빨리 답을 구할 수 있는 경험을 통해 수학의 유용함을 느끼도록 합니다.

1 (1) 색칠한 부분의 수 중에서 가운데 수 **46**을 기준으로 가로, 세로, 대각선에 같은 거리만큼 떨어 있는 수의 합은 92로 모두 같고, 46의 2배입니다.

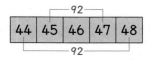

이 규칙을 이용하면 색칠한 부분의 수의 합은
(가운데 수)×(색칠한 수의 개수)=46×25=1150입니다.

(2) 색칠한 부분의 수 중에 가운데 수 10을 기준으로 가로, 세로, 대각선에 같은 거리만큼 떨어 있는 수의 합은 20으로 모두 같고, 10의 2배입니다.

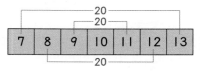

이 규칙을 이용하면 색칠한 부분의 수의 합은
(가운데 수)×(색칠한 수의 개수)=10×49=490입니다.

⑯	17	18	19
29	30	31	32
42	43	44	45
55	56	57	58
68	69	70	⑦①

해결 전략
합이 같은 수들을 찾아 곱을 이용하여 간단히 구합니다.

끝에 있는 두 수의 합을 이용합니다.
(16+71)×20÷2=87×20÷2=1740÷2=870

48	49	50	51	52
61	62	63	64	65

세로줄에 있는 두 수의 합을 이용합니다.
(50+63)×5=113×5=565

92	93	94	95	96	97	⑨⑧	99	100	101	102	103	104

가운데 수를 이용합니다.
98×13=1274

따라서 색칠한 부분의 수의 합은 870+565+1274=2709입니다.

2-3. 연속된 홀수, 짝수의 합

1 (1) 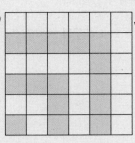 , 6×6 (2) 289 **2** 41

최상위
사고력
A 240

최상위
사고력
B 7500, 7350

저자 톡! 연속수의 합을 간단히 구한 것과 같이 연속된 홀수와 짝수의 합을 효율적으로 구하는 내용입니다. 무작정 공식을 외우기보다 그림을 보고 그 원리를 이해하는 것이 중요합니다.

1 (1) 작은 사각형을 1개, 3개, 5개, 7개, 9개, 11개 붙여 큰 사각형을 만들면 작은 사각형의 개수의 합을 쉽게 구할 수 있습니다.

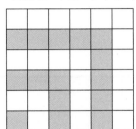

➡ $1+3+5+7+9+11=6×6$
└─ 6개 ─┘

> **주의**
> 계산 결과를 두 수의 곱으로 나타낼 때 그림의 가로에 있는 작은 사각형의 개수와 세로에 있는 작은 사각형의 개수로 곱으로 나타내야 합니다.

(2) 1부터 33까지의 홀수는 모두 17개입니다.
따라서 $1+3+5+7+\cdots+31+33=17×17=289$입니다.

2 1부터 □개의 연속된 홀수의 합은
$□×□=441$이고, $21×21=441$이므로 $□=21$입니다.
따라서 어떤 홀수는 $21×2-1=41$입니다.

> **보충 개념**
> 1번째 홀수: $1×2-1=1$
> 2번째 홀수: $2×2-1=3$
> 3번째 홀수: $3×2-1=5$
> ⋮
> 21번째 홀수: $21×2-1=41$

최상위
사고력
A

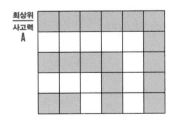

➡ $2+4+6+8+10=5×6$
연속된 짝수의 합은
(연속된 짝수의 개수)×(연속된 짝수의 개수+1)로 구할 수 있습니다.
2부터 30까지의 짝수는 모두 15개입니다.
따라서 $2+4+\cdots+28+30=15×16=240$입니다.

최상위
사고력
B
(100보다 크고 200보다 작은 홀수의 합)

  =(200보다 작은 홀수의 합)−(100보다 작은 홀수의 합)

  =$100×100−50×50$

  =$10000−2500=7500$

(100보다 크고 200보다 작은 짝수의 합)

  =(200보다 작은 짝수의 합)−(100보다 작은 짝수의 합)

  =$99×100−50×51$

  =$9900−2550=7350$

보충 개념

1부터 □개인 연속된 홀수의 합은 □×□로 구할 수 있습니다.

2부터 □개인 연속된 짝수의 합은 □×(□+1)로 구할 수 있습니다.

‖ 최상위 사고력 ‖   24~25쪽

1 1125   **2** 100   **3** 350   **4** (1) 10 (2) 5

---

1 색칠한 부분의 수 중에 가운데 수 45를 기준으로 가로, 세로, 대각선에 같은 거리만큼 띄어 있는 수의 합은 90으로 모두 같고, 45의 2배입니다.

이 규칙을 이용하면 색칠한 부분의 수의 합은

(가운데 수)×(색칠한 수의 개수)=$45×25=1125$입니다.

보충 개념

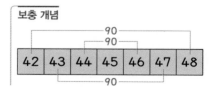

2 $1+2+3+\cdots\cdots+9+10+9+\cdots\cdots+3+2+1$을 그림으로 나타내면 다음과 같습니다.

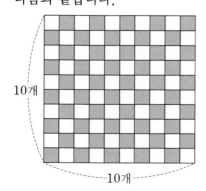

해결 전략

$1+2+\cdots\cdots+□+\cdots\cdots+2+1$과 같이 양쪽의 수가 똑같이 나열되어 있는 수의 합을 그림으로 나타내어 구합니다.

따라서 $1+2+3+\cdots\cdots+9+10+9+\cdots\cdots+3+2+1$

=$10×10=100$입니다.

3 300부터 400까지의 연속된 수에서 홀수와 짝수를 다음과 같이 묶어 생각하면 묶음 안에서 짝수가 홀수보다 1씩 큽니다.

300, (301, 302), (303, 304)……(399, 400)

(300부터 400까지의 연속된 홀수의 합과 짝수의 합과의 차)

$=$(300부터 400까지의 연속된 짝수의 합)$-$(300부터 400까지의 연속된 홀수의 합)

$=(300+302+304+\cdots\cdots+400)-(301+303+305+\cdots\cdots+399)$

$=300+(302-301)+\cdots\cdots+(400-399)$

$=300+\underbrace{1+1+\cdots\cdots+1+1}_{50개}$

$=350$

4 (1) $\langle 6 \rangle + \langle 8 \rangle = 6 \times 6 + 8 \times 8 = 36 + 64 = 100$

$\square \times \square = 100$이고, $10 \times 10 = 100$이므로 $\diamondsuit$ 안에 알맞은 수는 10입니다.

(2) $\langle 13 \rangle - \langle 12 \rangle = 13 \times 13 - 12 \times 12 = 169 - 144 = 25$

$\square \times \square = 25$이고, $5 \times 5 = 25$이므로 $\diamondsuit$ 안에 알맞은 수는 5입니다.

해결 전략
1부터 $\square$개인 연속된 홀수의 합은 $\square \times \square$로 구할 수 있습니다.

보충 개념
$\langle 5 \rangle = 1 + 3 + 5 + 7 + 9 = 25$

최상위 사고력 **3** 복면산과 벌레 먹은 셈

3-1. 벌레 먹은 셈
26~27쪽

1

```
    3 [5] 7          3 [3] 7
  ×     [7]        ×     [8]
  2 [4] 9 9        2 [6] 9 6
```

2

```
  [2] 6 7              [2] 7 3              [3] 2 7
  ×       2     또는   ×       2     또는   ×       2
  5 [3] 4              5 [4] 6              [6] 5 4
```

최상위
사고력

```
      2 [7]
    ×   6 [3]
      [8] 1
  [1] 6 2
  [1] [7] 0 [1]
```

저자 톡! 어떤 계산식에서 수를 $\square$로 대신하여 나타내어 $\square$를 구하는 수 퍼즐을 벌레 먹은 셈이라고 합니다. 곱셈구구의 각 단의 특징을 이용하여 $\square$ 안에 수를 예상하고 확인하는 방법으로 수의 범위를 좁혀가며 찾아봅니다.

1 ㉠과 백의 자리 숫자인 3을 곱하여 천의 자리 숫자 2가 나오려면 ㉠은 5보다 커야 합니다.

㉠=6, 7, 8, 9인 경우로 나누어 구합니다.

$$\begin{array}{r} 3\;\square\;7 \\ \times\qquad ㉠ \\ \hline 2\;\square\;9\;\square \end{array}$$

㉠=6인 경우

$$\begin{array}{r} 3\;ⓛ\;7 \\ \times\qquad 6 \\ \hline 2\;\square\;9\;2 \end{array}$$
ⓛ에 알맞은 수가 없습니다. (불가능)

㉠=7인 경우

$$\begin{array}{r} 3\;5\;7 \\ \times\qquad 7 \\ \hline 2\;4\;9\;9 \end{array}$$

㉠=8인 경우

$$\begin{array}{r} 3\;3\;7 \\ \times\qquad 8 \\ \hline 2\;6\;9\;6 \end{array}$$

㉠=9인 경우

$$\begin{array}{r} 3\;\square\;7 \\ \times\qquad 9 \\ \hline 2\;ⓒ\;9\;3 \end{array}$$
ⓒ에 알맞은 수가 없습니다. (불가능)

2 2, 3, 4, 5, 6, 7 중에서 7이 가장 크므로 ㉠에 알맞은 수는 2와 3입니다.

㉠=2, 3인 경우에 따라 ㉡, ㉢을 먼저 구하고 □ 안에 알맞은 수를 써넣습니다.

$$\begin{array}{r} ㉠\;\square\;㉡ \\ \times\qquad 2 \\ \hline \square\;\square\;㉢ \end{array}$$

㉠=2인 경우

$$\begin{array}{r} 2\;6\;7 \\ \times\qquad 2 \\ \hline 5\;3\;4 \end{array} \qquad \begin{array}{r} 2\;7\;3 \\ \times\qquad 2 \\ \hline 5\;4\;6 \end{array}$$

㉠=3인 경우

$$\begin{array}{r} 3\;2\;7 \\ \times\qquad 2 \\ \hline 6\;5\;4 \end{array}$$

최상위 사고력
① ㉣+2=10이므로 ㉣=8입니다.
② 2㉠×㉢=81이고, 27×3=81이므로 ㉠=7, ㉢=3입니다.
③ 27×㉡의 일의 자리 숫자가 2이므로 ㉡=6입니다.
④ 27×6=162이므로 ㉤=1, ㉥=6입니다.
⑤ 두 수의 곱에 맞게 나머지 □ 안에 알맞은 수를 써넣습니다.

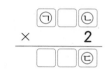

$$\begin{array}{r} 2\;㉠ \\ \times\quad ㉡\;㉢ \\ \hline ㉣\;1 \\ ㉤\;㉥\;2 \\ \hline ㉧\;◎\;0\;㉩ \end{array}$$

---

1 (1) 1, 5, 6 (2) 7, 5, 3, 2, 6   **최상위 사고력 A** 1, 2, 4   **최상위 사고력 B** 2

저자 톡! 계산식에서 수를 문자나 기호로 나타내어 문자나 기호가 나타내는 수를 구하는 수 퍼즐을 복면산이라고 합니다. 같은 문자는 같은 수를 나타내고, 다른 문자는 다른 수를 나타낸다는 조건을 이용하여 먼저 알 수 있는 기호의 수부터 차례로 찾아봅니다.

1 (1) $1 \times 1 = 1$, $5 \times 5 = 25$, $6 \times 6 = 36$이므로 B=1, 5, 6이 될 수 있습니다.

(2) B=1인 경우

		1
×		1

A1×1의 값이 세 자리 수가 될 수 없습니다. (불가능)

B=5인 경우

	7	5
×	7	5
	3	7	5
5	2	5
5	6	2	5

A5×5=CA5가 가능한 수를 구하면 75×5=375이므로 A=7, C=3입니다.

B=6인 경우

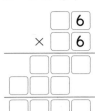

A6×6=CA6이 가능한 A, C는 없습니다. (불가능)

따라서 A=7, B=5, C=3, D=2, E=6입니다.

최상위 사고력 A AB×A=AB이므로 A=1입니다.

```
    1 B
  × 1 B
    B C
  1 B
  1 C C
```

B×B=C이고, B+B=C이므로 B=2, C=4입니다.

해결 전략
AB×A=AB를 이용하여 A에 알맞은 수부터 구합니다.

최상위 사고력 B 38×4㉠의 일의 자리 숫자의 곱은 57×㉠8의 일의 자리 숫자의 곱인 6과 같아야 합니다.

8×㉠=□6에 알맞은 ㉠을 구하면 ㉠=2 또는 7입니다.

• ㉠=2이면 38×4㉠=38×42=1596,
57×㉠8=57×28=1596으로 식이 성립합니다.

• ㉠=7이면 38×4㉠=38×47=1786,
57×㉠8=57×78=4446이 되므로 식이 성립하지 않습니다.

따라서 ㉠에 알맞은 수는 2입니다.

해결 전략
38×4㉠과 57×㉠8의 계산 결과에서 일의 자리 숫자가 서로 같습니다.

3-3. 조건에 맞는 수

30~31쪽

1 296	**2** 75	**최상위 사고력** 46

저자 톡! 여러 가지 연산에 대한 조건이 주어질 때 조건을 이용하여 어떤 수를 찾는 내용입니다. 처음부터 정확하게 수를 찾기보다 어림을 이용하여 예상하고 확인하는 방법으로 찾도록 합니다.

1 덧셈식에서 두 수의 합이 300이므로 ㉠은 3보다 작아야 하고, 받아올림을 생각하면 ㉠=2, ㉡=9입니다.
곱셈식에서 ㉢×㉣의 일의 자리 숫자가 4인 경우는
1×4, 2×2, 2×7, 3×8, 4×1, 4×6, 6×4, 6×9, 7×2, 8×3, 8×8, 9×6입니다.
이 중에서 덧셈식을 만족하는 수를 구하면 ㉢+㉣의 일의 자리 숫자가 0이 되어야 하므로 4×6과 6×4가 가능합니다.

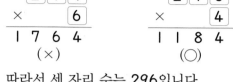

(×)   (○)

따라서 세 자리 수는 296입니다.

2 두 수의 차가 1인 두 자리 수의 일의 자리 숫자는
(1, 2), (2, 3), (3, 4)……와 같은 연속수입니다.
연속수 중에서 곱이 6이 되는 연속수는 2×3=6 또는 7×8=56입니다.
1406은 30×30=900보다 크고 40×40=1600보다 작으므로 두 수의 십의 자리 숫자는 3입니다.
32×33=1056, 37×38=1406이므로 두 수는 37, 38입니다.
따라서 두 수의 합은 37+38=75입니다.

보충 개념
곱하는 수를 각각 어림한 후 계산합니다.
900<1406<1600
(=30×30)　　(=40×40)
➡ 두 수의 십의 자리 숫자는 3입니다.

최상위 사고력 처음 수를 AB라고 하면 십의 자리 숫자와 일의 자리 숫자를 바꾼 수 BA가 더 커졌으므로 B>A입니다.
처음 수와 바꾼 수의 곱이 2944이므로 AB×BA=2944입니다.
일의 자리의 곱셈 A×B의 일의 자리 숫자가 4이고,
1×4=4, 2×7=14, 3×8=24, 4×6=24, 6×9=54이므로
(A, B)=(1, 4), (2, 7), (3, 8), (4, 6), (6, 9)로 모두 5가지 경우가 있습니다.
· (A, B)=(1, 4)인 경우
14×41=574
· (A, B)=(2, 7)인 경우
27×72=1944
· (A, B)=(3, 8)인 경우
38×83=3154
· (A, B)=(4, 6)인 경우
46×64=2944
· (A, B)=(6, 9)인 경우
69×96=6624
따라서 처음 수는 46입니다.

해결 전략
처음 수를 AB라고 하면 십의 자리 숫자와 일의 자리 숫자를 바꾼 수는 BA입니다.
　　A B
　×B A
　2 9 4 4

1 6, 2, 5

2 86쪽, 87쪽

3
$$\begin{array}{r} 4\,\boxed{3}\,2 \\ \times\boxed{8} \\ \hline 3\,\boxed{4}\,5\,\boxed{6} \end{array} \qquad \begin{array}{r} 4\,\boxed{8}\,2 \\ \times\boxed{8} \\ \hline 3\,\boxed{8}\,5\,\boxed{6} \end{array}$$

4 6, 3, 4, 7

---

1 일의 자리 숫자의 곱에서 $1 \times 1 = 1$, $5 \times 5 = 25$, $6 \times 6 = 36$이므로 O=1, 5, 6이 될 수 있습니다.
곱이 세 자리 수이므로 G=1, 2, 3 중의 하나입니다.

· O=1인 경우

$$\begin{array}{r} G\,1 \\ \times\,G\,1 \\ \hline N\,G\,1 \end{array}$$
G에 알맞은 수가 없습니다.(불가능)

· O=5인 경우

$$\begin{array}{r} G\,5 \\ \times\,G\,5 \\ \hline N\,G\,5 \end{array} \qquad \begin{array}{r} 1\,5 \\ \times\,1\,5 \\ \hline 2\,2\,5 \end{array} \qquad \begin{array}{r} 2\,5 \\ \times\,2\,5 \\ \hline 6\,2\,5 \end{array}$$
$(\times)(\bigcirc)$

· O=6인 경우

$$\begin{array}{r} G\,6 \\ \times\,G\,6 \\ \hline N\,G\,6 \end{array} \qquad \begin{array}{r} 1\,6 \\ \times\,1\,6 \\ \hline 2\,5\,6 \end{array} \qquad \begin{array}{r} 2\,6 \\ \times\,2\,6 \\ \hline 6\,7\,6 \end{array}$$
$(\times)(\times)$

따라서 N=6, G=2, O=5입니다.

해결 전략
일의 자리 숫자의 곱에서 O가 될 수 있는 수를 먼저 생각합니다.

2 연속수 중에서 곱의 일의 자리 숫자가 2가 되는 경우는
$1 \times 2 = 2$, $3 \times 4 = 12$, $6 \times 7 = 42$, $8 \times 9 = 72$로 모두 4가지 경우가 있습니다.
7482는 $80 \times 80 = 6400$보다 크고, $90 \times 90 = 8100$보다 작으므로 두 자리 수의 십의 자리 숫자는 8입니다.

· 일의 자리 숫자가 1, 2인 경우
$81 \times 82 = 6642$

· 일의 자리 숫자가 3, 4인 경우
$83 \times 84 = 6972$

· 일의 자리 숫자가 6, 7인 경우
$86 \times 87 = 7482$

· 일의 자리 숫자가 8, 9인 경우
$88 \times 89 = 7832$

따라서 두 면의 쪽수는 86쪽, 87쪽입니다.

해결 전략
수학책의 펼쳐 나온 두 면의 쪽수는 연속수 입니다.

3 4×㉠=3□가 되려면 ㉠=7, 8, 9 중의 하나가 되어야 합니다.

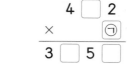

㉠=7인 경우

$$\begin{array}{r} 4\ \boxed{}\ 2 \\ \times \qquad \boxed{7} \\ \hline 3\ \boxed{}\ 5\ 4 \end{array} \Rightarrow \begin{array}{r} 4\ \boxed{2}\ 2 \\ \times \qquad \boxed{7} \\ \hline 3\ \boxed{㉡}\ 5\ 4 \end{array}$$

㉡에 알맞은 수가 없습니다. (불가능)

㉠=8인 경우

$$\begin{array}{r} 4\ \boxed{}\ 2 \\ \times \qquad \boxed{8} \\ \hline 3\ \boxed{}\ 5\ 6 \end{array} \Rightarrow \begin{array}{r} 4\ \boxed{3}\ 2 \\ \times \qquad \boxed{8} \\ \hline 3\ \boxed{4}\ 5\ 6 \end{array}$$
　│
$$\begin{array}{r} 4\ \boxed{}\ 2 \\ \times \qquad \boxed{8} \\ \hline 3\ \boxed{}\ 5\ 6 \end{array} \Rightarrow \begin{array}{r} 4\ \boxed{8}\ 2 \\ \times \qquad \boxed{8} \\ \hline 3\ \boxed{8}\ 5\ 6 \end{array}$$

㉠=9인 경우

$$\begin{array}{r} 4\ \boxed{}\ 2 \\ \times \qquad \boxed{9} \\ \hline 3\ \boxed{}\ 5\ 8 \end{array} \Rightarrow \begin{array}{r} 4\ \boxed{6}\ 2 \\ \times \qquad \boxed{9} \\ \hline 3\ \boxed{㉡}\ 5\ 8 \end{array}$$

㉡에 알맞은 수가 없습니다. (불가능)

4 곱셈식 ㉠㉡×㉢㉣=2961에서 ㉡×㉣의 일의 자리 숫자가 1이어야 하고, 뺄셈식 ㉠㉡−㉢㉣=16에서 ㉡−㉣의 일의 자리 숫자가 6이어야 하므로 가능한 경우는 ㉡=3, ㉣=7입니다.

뺄셈식에서 받아내림을 생각하면 ㉠−㉢−1=1, ㉠−㉢=2이므로 사용한 수 3, 7을 제외하면 ㉠=4, ㉢=2 또는 ㉠=6, ㉢=4 또는 ㉠=8, ㉢=6이 될 수 있습니다.

$$\begin{array}{r} ㉠\ ㉡ \\ \times\ ㉢\ ㉣ \\ \hline 2\ 9\ 6\ 1 \end{array}$$

$$\begin{array}{r} ㉠\ 3 \\ -\ ㉢\ 7 \\ \hline 1\ 6 \end{array}$$

- ㉠=4, ㉢=2인 경우
  43×27=1161
- ㉠=6, ㉢=4인 경우
  63×47=2961
- ㉠=8, ㉢=6인 경우
  83×67=5561

따라서 ㉠=6, ㉡=3, ㉢=4, ㉣=7 입니다.

Review Ⅰ 연산(1)

34~36쪽

1
$$\begin{array}{r} \boxed{3}\ \boxed{7}\ \boxed{6} \\ \times \qquad \boxed{5} \\ \hline 1\ 8\ 8\ 0 \end{array}$$

2 437

3 (1) 225　(2) 600

4 1113

5 2236, 2226

6 3, 8, 0

1 ㉠×㉡의 일의 자리 숫자가 0이므로

㉠=5, ㉡=6 또는 ㉠=6, ㉡=5입니다.

• ㉠=5, ㉡=6인 경우

㉢ ㉣ 5
× 6
———————
1 8 8 0

㉣에 알맞은 수가
없습니다. (불가능)

• ㉠=6, ㉡=5인 경우

㉢ ㉣ 6   3 7 6
× 5   ➡   × 5
———————   ———————
1 8 8 0   1 8 8 0

5×㉢=1□이므로
㉢=3입니다.

나머지 수 7을 ㉣에 넣어
계산이 맞는지 확인합니다.

해결 전략
㉠, ㉡에 알맞은 수부터 생각합니다.

2 위의 두 수의 합과 아래 두 수의 합을 곱하여 가운데 쓰는 규칙입니다.

$(9+10)×(11+12)=19×23=437$

따라서 ㉠에 알맞은 수는 437입니다.

보충 개념
$(1+2)×(3+4)=3×7=21$
$(5+6)×(7+8)=11×15=165$
$(13+14)×(15+16)=27×31=837$

3 (1) $1+3+5+\cdots\cdots+25+27+29$

$15×2-1=29$이므로 1부터 29까지의 홀수의 개수는 15개입니다.

양 끝에서부터 두 수씩 짝을 지어 더하면 가운데 수 15의 2배인 30으로 일정합니다.

따라서 $1+3+5+\cdots\cdots+25+27+29=30×15÷2=225$입니다.

다른 풀이
1부터 연속된 홀수의 합은 홀수의 개수를 2번 곱한 것과 같습니다.
29는 1부터 15번째 수이므로 15개의 연속된 홀수의 합은 $15×15=225$입니다.

보충 개념

$\begin{array}{r} 1+\ 3+\ 5+\cdots\cdots+25+27+29 \\ +)\ 29+27+25+\cdots\cdots+\ 5+\ 3+\ 1 \\ \hline 30+30+30+\cdots\cdots+30+30+30 \end{array}$

└──── 15개 ────┘

(2) $2+4+6+\cdots\cdots+44+46+48$

2부터 48까지의 짝수의 개수는 $48÷2=24$(개)입니다.

양 끝에서부터 두 수씩 짝을 지어 더하면 50으로 일정합니다.

따라서 $2+4+6+\cdots\cdots+44+46+48=50×24÷2=600$입니다.

다른 풀이
2부터 연속된 짝수의 합은 (짝수의 개수)×(짝수의 개수+1)입니다.
48까지 짝수는 24개 있으므로 24개의 짝수의 합은 $24×25=600$입니다.

보충 개념

$\begin{array}{r} 2+\ 4+\ 6+\cdots\cdots+44+46+48 \\ +)\ 48+46+44+\cdots\cdots+\ 6+\ 4+\ 2 \\ \hline 50+50+50+\cdots\cdots+50+50+50 \end{array}$

└──── 24개 ────┘

4

21	22	23	24	25	26	27	28	29	30
31	32	㉝	34	35	36	37	38	39	40
41	42	43	44	45	46	47	48	49	50
51	52	53	54	55	56	57	58	㉟	60
61	62	63	64	65	66	㉗	68	69	70
71	72	73	74	75	76	77	78	79	80
81	82	83	84	85	86	87	88	89	90

가운데 수를 이용합니다.
$59 \times 7 = 413$

└─ 끝에 있는 두 수의 합을 이용합니다.
$(33 + 67) \times 7 = 700$

따라서 색칠한 부분의 수의 합은 $700 + 413 = 1113$입니다.

5 • 계산 결과가 가장 클 때

　십의 자리에 큰 수 5와 4를 넣고 가장 큰 수 5에 3과 2 중 큰 수 3
　이 곱해지도록 만듭니다.

　➡ $52 \times 43 = 2236$

　• 계산 결과가 두 번째로 클 때

　십의 자리에 큰 수 5와 4를 넣고 가장 큰 수 5에 3과 2 중에서 작은
　수 2가 곱해지도록 만듭니다.

　➡ $53 \times 42 = 2226$

따라서 계산 결과가 가장 큰 값은 2236, 두 번째로 큰 값은 2226
입니다.

6 $C + 1 = 1$이므로 $C = 0$입니다.

　$AB \times A = 114$에서 $A = 3$, $B = 8$입니다.

$$
\begin{array}{r}
3\,8 \\
\times\ 8\,3 \\
\hline
1\,1\,4 \\
3\,0\,4 \\
\hline
3\,1\,5\,4
\end{array}
$$

따라서 $A = 3$, $B = 8$, $C = 0$입니다.

해결 전략
합이 같은 수들을 찾아 곱을 이용하여 간단히
구합니다.

해결 전략
큰 수 5, 4, 3, 2를 사용합니다.

보충 개념
1, 3, 4, 5를 골라 계산 결과가 가장 클 때
도 구해 비교해 봅니다.
$51 \times 43 = 2193$

해결 전략
C에 알맞은 수부터 구합니다.

II 연산(2)

이번 단원에서는 3A에 다루었던 나머지가 없는 나눗셈에 이어 나머지가 있는 나눗셈을 기초로 하는 사고력 주제를 다루게 됩니다.

나눗셈식에서 나누는 수, 나누어지는 수, 몫, 나머지의 관계에 중점을 둔 식 완성하기를 시작으로 나눗셈이 유용하게 사용되는 주제까지 다루어 수학에 대한 긍정적인 태도가 자연스럽게 길러지도록 하였습니다.

4 식 완성하기에서는 단순히 나눗셈 알고리즘에 대한 문제가 아닌 나눗셈식에서 수의 관계를 생각하며 식을 완성해야 하는 벌레 먹은 셈, 수 카드로 나눗셈식 만들기를 학습합니다.

5 조건과 나눗셈에서는 나눗셈에 관한 다양한 조건을 보고 효율적인 방법으로 조건에 맞는 수를 찾는 방법을 학습합니다.

6 나눗셈의 활용에서는 나눗셈이 유용하게 활용되는 구간과 거리에 관한 주제인 가로수를 다루고, 이어서 일정하게 반복되는 규칙 속에서 나눗셈이 열쇠가 되는 수열과 달력을 학습합니다.

최상위 사고력 **4** **식 완성하기**

4-1. 벌레 먹은 나눗셈식   38~39쪽

1

최상위
사고력   316, 376

저자 톡! (두 자리 수)÷(한 자리 수), (세 자리 수)÷(한 자리 수)의 세로셈에서 ☐ 안에 알맞은 수를 구하는 내용입니다. ☐ 중에서 가장 먼저 알 수 있는 것부터 수를 써넣으며 식을 완성하도록 합니다.

1 나누어지는 수의 십의 자리 숫자를 7로 나누어서 나머지가 생겼으므로
㉠=8 또는 9입니다.

- ㉠=8이면 ㉡=1이고, 주어진 수는 나누어떨어져야 하므로 ㉢=2입니다.
  ➡ ㉣=4, ㉤=4, ㉥=1, ㉦=4
- ㉠=9이면 ㉡=2이고, 주어진 수는 나누어떨어져야 하므로 ㉢=3 또는 4입니다.
  ㉢=3일 때 ➡ ㉣=1, ㉤=1, ㉥=2, ㉦=1
  ㉢=4일 때 ➡ ㉣=8, ㉤=8, ㉥=2, ㉦=8

2 ① $3×㉠=6$, $㉠=2$

② $㉡-6=2$, $㉡=8$

③ $3×㉢=㉣1$, $㉢=7$, $㉣=2$

④ $㉤-1=1$, $㉤=2$, $㉥=2$

⑤ $18-㉦㉧=0$, $㉦=1$, $㉧=8$

⑥ $3×㉨=18$, $㉨=6$

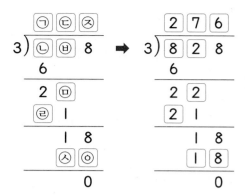

최상위 사고력 나누어지는 수의 백의 자리 숫자가 3이고, 나누어서 나머지가 1이
나왔으므로 $㉠=5$ 또는 6입니다.

• $㉠=5$이면 $㉡=3$, $㉢=0$입니다.

➡ $㉣-0=1$, $㉣=1$

$1㉧-6×㉤$의 일의 자리 숫자가 4이므로 $㉤=2$,

$㉦=6$, $㉥=6$, $㉧=1$, $㉨=2$입니다.

• $㉠=6$이면 $㉡=3$, $㉢=6$입니다.

➡ $㉣-6=1$, $㉣=7$

$1㉧-6×㉤$의 일의 자리 숫자가 4이므로 $㉤=2$이고,

$㉦=6$, $㉥=6$, $㉧=1$, $㉨=2$입니다.

따라서 나누어지는 수가 될 수 있는 수는 316, 376입니다.

```
      5  2                    6  2
6 ) 3  1  6          6 ) 3  7  6
    3  0                  3  6
    ─────                 ─────
       1  6                  1  6
       1  2                  1  2
    ─────                 ─────
          4                     4
```

4-2. 나머지가 될 수 있는 수
40~41쪽

1 10, 20, 30, 40, 50, 60, 70, 80

2 $30÷8=3\cdots6$, $30÷12=2\cdots6$, $30÷24=1\cdots6$

최상위 사고력 53

저자 톡! 나눗셈식에서 나누는 수와 나머지의 관계를 이용하여 나눗셈식을 완성하는 내용입니다. 나눗셈식을 곱셈식으로 바꾸어 문제를 해결
할 수 있어야 합니다.

1 9로 나누어 나머지가 될 수 있는 수는 1부터 8까지의 수입니다.

나눗셈식에서 몫과 나머지가 같아야 하므로 몫과 나머지에 1부터 8까지의 수를 차례로 써넣어 나누어지는 수를 구합니다.

$\square \div 9 = 1 \cdots 1$, $\square = 10$ 　　　$\square \div 9 = 2 \cdots 2$, $\square = 20$

$\square \div 9 = 3 \cdots 3$, $\square = 30$ 　　　$\square \div 9 = 4 \cdots 4$, $\square = 40$

$\square \div 9 = 5 \cdots 5$, $\square = 50$ 　　　$\square \div 9 = 6 \cdots 6$, $\square = 60$

$\square \div 9 = 7 \cdots 7$, $\square = 70$ 　　　$\square \div 9 = 8 \cdots 8$, $\square = 80$

따라서 나누어지는 수는 10, 20, 30, 40, 50, 60, 70, 80입니다.

해결 전략
나눗셈식에서 나머지는 나누는 수보다 작습니다.
예) $\bullet \div 5$에서 나머지가 될 수 있는 수는 나누는 수 5보다 작은 0, 1, 2, 3, 4입니다.

2 나누는 수를 ㉠, 몫을 ㉡이라 하여 나눗셈식으로 나타내면

$30 \div ㉠ = ㉡ \cdots 6$입니다.

나눗셈식에서 나누는 수는 나머지보다 커야 하므로 ㉠ > 6입니다.

나눗셈식을 곱셈식으로 바꾸어 생각합니다.

$30 \div ㉠ = ㉡ \cdots 6 \Rightarrow ㉠ \times ㉡ + 6 = 30 \Rightarrow ㉠ \times ㉡ = 24$

$㉠ \times ㉡ = 24$를 만족하는 $(㉠, ㉡) = (8, 3), (12, 2), (24, 1)$입니다.

따라서 만들 수 있는 나눗셈식은

$30 \div 8 = 3 \cdots 6$, $30 \div 12 = 2 \cdots 6$, $30 \div 24 = 1 \cdots 6$입니다.

보충 개념
나누는 수와 몫의 곱에 나머지를 더하면 나누어지는 수가 되어야 합니다.

최상위 사고력 어떤 수를 $\square$, 몫을 ㉠, 나머지를 ㉡이라 하여 올바른 나눗셈과 잘못된 나눗셈식을 각각 세웁니다.

• 올바른 나눗셈식: $\square \div 40 = ㉠ \cdots ㉡$

• 잘못된 나눗셈식: $\square \div 4 = ㉡ \cdots ㉠$

나머지는 나누는 수보다 작아야 하므로 ㉡ < 40, ㉠ < 4입니다.

두 식을 곱셈식으로 바꾸어 생각합니다.

• 올바른 나눗셈식: $\square \div 40 = ㉠ \cdots ㉡ \Rightarrow \square = ㉠ \times 40 + ㉡$

• 잘못된 나눗셈식: $\square \div 4 = ㉡ \cdots ㉠ \Rightarrow \square = ㉡ \times 4 + ㉠$

$\Rightarrow ㉠ \times 40 + ㉡ = ㉡ \times 4 + ㉠$, $㉠ \times 39 = ㉡ \times 3$

따라서 어떤 수는 ㉠ = 1, ㉡ = 13일 때 가장 작으므로 $1 \times 40 + 13 = 53$입니다.

해결 전략
올바른 나눗셈식과 잘못된 나눗셈식을 각각 만들고 두 식을 곱셈식으로 바꾸어 문제를 해결합니다.

4-3. 수 카드로 나눗셈식 만들기

42~43쪽

1 $14 \div 3 = 4 \cdots 2$, $41 \div 3 = 13 \cdots 2$, $12 \div 5 = 2 \cdots 2$, $32 \div 5 = 6 \cdots 2$, $42 \div 5 = 8 \cdots 2$

2 (1) $87 \div 3 = 29$　(2) $47 \div 8 = 5 \cdots 7$ (또는 $63 \div 8 = 7 \cdots 7$)

최상위 사고력 A 21개　　　　　　**최상위 사고력 B** 34

저자 톡! 나눗셈식에서 나누어지는 수, 나누는 수, 몫, 나머지의 관계를 다양하게 이용하여 수 카드로 조건에 맞는 나눗셈식을 만드는 내용입니다.

1 나머지가 2인 나눗셈식은 나누는 수가 2보다 커야 하므로 나누는 수는 3, 4, 5가 될 수 있습니다.

해결 전략
나누는 수에 작은 수부터 차례로 나머지가 2인 (두 자리 수)÷(한 자리 수)의 식을 만들어 봅니다.

• 나누는 수가 3인 경우

$$\boxed{1}\;\boxed{4}\div\boxed{3}=4\cdots2$$

$$\boxed{4}\;\boxed{1}\div\boxed{3}=13\cdots2$$

• 나누는 수가 4인 경우에는 만들 수 있는 나눗셈식이 없습니다.

• 나누는 수가 5인 경우

$$\boxed{1}\;\boxed{2}\div\boxed{5}=2\cdots2$$

$$\boxed{3}\;\boxed{2}\div\boxed{5}=6\cdots2$$

$$\boxed{4}\;\boxed{2}\div\boxed{5}=8\cdots2$$

➡ $14\div3=4\cdots2$, $41\div3=13\cdots2$, $12\div5=2\cdots2$,
  $32\div5=6\cdots2$, $42\div5=8\cdots2$

2 (1) 수 카드로 만들 수 있는 가장 큰 두 자리 수는 87이고, 가장 작은 한 자리 수는 3이므로 몫이 가장 크게 되는 나눗셈식은 $87\div3=29$입니다.

해결 전략
몫이 가장 크려면 가장 큰 수를 가장 작은 수로 나누어야 합니다.

(2) 나머지는 나누는 수보다 항상 작아야 하므로 나머지가 크려면 나누는 수도 커야 합니다.
수 카드 중에서 가장 큰 수 8을 나누는 수로 놓으면 나머지는 8보다 작은 수인 0, 1, 2, 3, 4, 5, 6, 7이 될 수 있으므로 나머지가 7이 되는 나눗셈식을 만듭니다.
  ➡ $47\div8=5\cdots7$ (또는 $63\div8=7\cdots7$)

최상위 사고력 A • 일의 자리 숫자가 0인 경우:

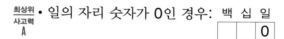

$$=4\times3=12(개)$$

• 일의 자리 숫자가 5인 경우: 백 십 일 | 5

해결 전략
세 자리 수가 5로 나누어떨어지려면 일의 자리 숫자가 0 또는 5가 되어야 합니다.

보충 개념
백의 자리에는 0이 올 수 없습니다.

| 백의 자리에 놓을 수 있는 수의 개수 | × | 백의 자리에 사용하고 남은 수 중 십의 자리에 놓을 수 있는 수의 개수 |

$$=3\times3=9(개)$$

따라서 세 자리 수 중에서 5로 나누어떨어지는 수는 모두 $12+9=21(개)$입니다.

㉠㉡÷㉢=㉣…4 ➡ ㉠㉡=㉢×㉣+4

㉠㉡이 가장 크려면 ㉢×㉣이 가장 커야 합니다.

(㉢, ㉣)=(6, 6)이면 ㉠㉡=6×6+4=40입니다.

➡ 0은 수 카드가 없으므로 맞지 않습니다.

(㉢, ㉣)=(6, 5)이면 ㉠㉡=6×5+4=34입니다.

➡ 4는 수 카드가 여러 장 있으므로 맞습니다.

따라서 ㉠㉡에 알맞은 수 중에서 가장 큰 수는 34입니다.

해결 전략
나눗셈식을 곱셈식으로 바꾸어 생각합니다.

최상위 사고력 44~45쪽

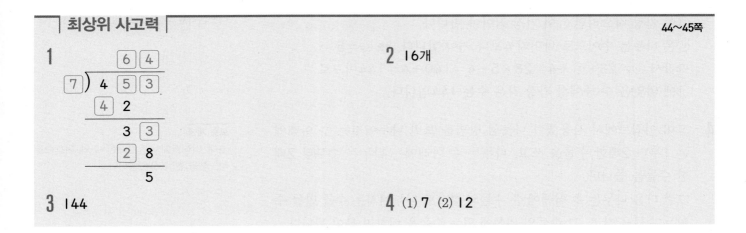

1

2 16개

3 144

4 (1) 7 (2) 12

1 ① ㉠−2=3, ㉠=5

② 4−㉡=0, ㉡=4

③ 3㉢−㉣8=5, ㉢=3, ㉣=2, ㉤=3

④ ㉃×㉅=42, ㉃×◎=28을 동시에 만족하는 수는 7×6=42,

  7×4=28이므로 ㉃=7, ㉅=6, ◎=4입니다.

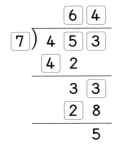

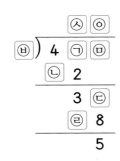

2 $㉠㉡÷㉢=㉣ \Rightarrow ㉢×㉣=㉠㉡$

$㉢>㉣$이므로 $㉢$에 큰 수부터 넣어 ㉠, ㉡, ㉢, ㉣이 모두 다른 곱셈식
을 찾아봅니다.

· $㉢=9$인 경우

  $9×8=72$, $9×7=63$, $9×6=54$,

  $9×4=36$, $9×3=27$, $9×2=18$ ➡ 6개

· $㉢=8$인 경우

  $8×7=56$, $8×4=32$, $8×3=24$, $8×2=16$ ➡ 4개

· $㉢=7$인 경우

  $7×6=42$, $7×4=28$, $7×3=21$, $7×2=14$ ➡ 4개

· $㉢=6$인 경우

  $6×3=18$ ➡ 1개

· $㉢=5$인 경우는 없습니다.

· $㉢=4$인 경우

  $4×3=12$ ➡ 1개

· $㉢=3, 2, 1$인 경우는 없습니다.

따라서 나눗셈식은 모두 $6+4+4+1+1=16$(개)입니다.

해결 전략
나눗셈식을 곱셈식으로 바꾸어 생각합니다.

3 $㉠÷㉡=28\cdots4 \Rightarrow ㉠=28×㉡+4$

㉠이 가장 작으려면 ㉡이 가장 작아야 합니다.

㉡은 나누는 수이므로 나머지 4보다 커야 합니다. ➡ $㉡=5$

따라서 $㉠=28×㉡+4=28×5+4=140+4=144$이므로

㉠에 알맞은 수 중에서 가장 작은 수는 144입니다.

해결 전략
나눗셈식을 곱셈식으로 바꾸어 생각합니다.

4 고대 이집트에서 사용했던 나눗셈 방법을 보면 나누어지는 수 아래에
는 1부터 2배한 수들을 쓰고, 나누는 수 아래에는 나누는 수부터 2배
한 수들을 씁니다.

그런 다음 나누는 수 아래에 쓴 수들의 합으로 나누어지는 수를 만들 수
있는 수들을 찾고, 그 수들의 왼쪽에 있는 수들을 더하면 몫이 됩니다.

보충 개념
고대 이집트에서는 2배한 수와 덧셈으로
나눗셈을 할 수 있었습니다.

(1) $42÷6$

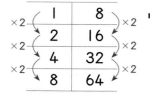

(2) $96÷8$

5-1. 수 배열과 수 찾기

46~47쪽

1

1	2	3	4	5	6	7	8	9	10
11	12	13	14	15	16	17	18	19	20
21	22	23	24	25	26	27	28	29	30
31	32	33	34	35	36	37	38	39	40
41	42	43	44	45	46	47	48	49	50
51	52	53	54	55	56	57	58	59	60
61	62	63	64	65	66	67	68	69	70
71	72	73	74	75	76	77	78	79	80
81	82	83	84	85	86	87	88	89	90
91	92	93	94	95	96	97	98	99	100

최상위
사고력
A ②, ⑤

최상위
사고력
B 3일

저자 톡! 합이 주어지고 색칠한 수를 찾는 방법을 학습합니다. 수를 찾는 과정에서 수 배열표에 나타난 수의 관계와 나눗셈이 어떻게 이용되는지 그 원리를 이해할 수 있습니다.

1 주어진 모양으로 묶은 수의 합을 □를 이용하여 나타내면 다음과 같습니다.

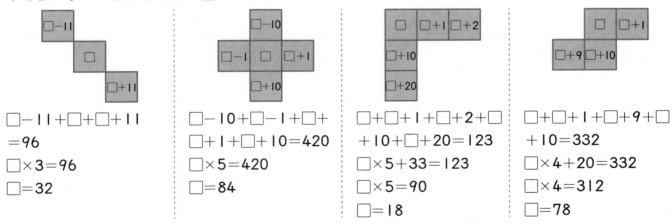

$\square-11+\square+\square+11$
$=96$
$\square\times3=96$
$\square=32$

$\square-10+\square-1+\square+$
$\square+1+\square+10=420$
$\square\times5=420$
$\square=84$

$\square+\square+1+\square+2+\square$
$+10+\square+20=123$
$\square\times5+33=123$
$\square\times5=90$
$\square=18$

$\square+\square+1+\square+9+\square$
$+10=332$
$\square\times4+20=332$
$\square\times4=312$
$\square=78$

최상위
사고력
A 주어진 모양으로 묶은 수의 합을 □을 이용하여 나타내면 다음과 같습니다.

$\square-10+\square-9+\square+\square+9+\square+10=\square\times5$

주어진 모양으로 묶은 수의 합은 5의 배수이어야 하므로

① 75는 5의 배수이고, 75=15×5이므로 가운데 수가 15인 모양입니다.

② 118은 5의 배수가 아니므로 합이 될 수 없습니다.

③ 120은 5의 배수이고, 120=24×5이므로 가운데 수가 24인 모양입니다.

④ 190은 5의 배수이고, 190=38×5이므로 가운데 수가 38인 모양입니다.

⑤ 200은 5의 배수이고, 200=40×5이므로 가운데 수가 40이지만 주어진
   수 배열표에서는 그릴 수 없습니다.

따라서 합이 될 수 없는 수는 ②, ⑤입니다.

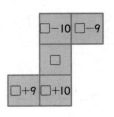

최상위 사고력 B 4개의 날짜를 직사각형 모양으로 묶은 경우는 다음과 같이 3가지가 있습니다.

각 모양에서 가장 작은 수를 $\square$라 하여 나머지 수를 나타내고, $\square$를 이용하여 4개의 수의 합을 나타냅니다.

①

$\square$
$\square+7$
$\square+14$
$\square+21$

$\square+\square+7+\square+14+\square+21$
$=\square\times4+42$

②

$\square$ $\square+1$ $\square+2$ $\square+3$

$\square+\square+1+\square+2+\square+3$
$=\square\times4+6$

③

$\square$ $\square+1$
$\square+7$ $\square+8$

$\square+\square+1+\square+7+\square+8$
$=\square\times4+16$

4개의 날짜의 합이 54이므로 3가지 모양에 따라 $\square$가 나타내는 수를 구합니다.

① $\square\times4+42=54$, $\square\times4=12$, $\square=3$

② $\square\times4+6=54$, $\square\times4=48$, $\square=12$

③ $\square\times4+16=54$, $\square\times4=38$, $\square$가 될 수 있는 수는 없습니다.

따라서 가장 빠른 날짜는 3일입니다.

5-2. 어떤 수 구하기

48~49쪽

1 48	**2** 74, 81, 88, 95	**최상위 사고력** 40

저자 톡! 나눗셈에 관한 여러 가지 조건을 이용하여 어떤 수를 구하는 내용입니다. 조건을 식으로도 나타낼 수 있어야 하고, 나눗셈식을 곱셈식으로 바꾸어 생각할 수도 있어야 합니다.

1 첫 번째 조건과 세 번째 조건에서 30보다 크고 49보다 작으면서 8로 나누어떨어지는 수는 32, 40, 48입니다.
두 번째 조건에서 이 수보다 3 작은 수는 5로 나누어떨어져야 하므로
$48-3=45$, $45\div5=9$입니다.
따라서 조건을 만족하는 수는 48입니다.

해결 전략
수의 범위를 좁힐 수 있는 조건부터 생각합니다.

2 어떤 두 자리 수를 ㉠, 몫을 ㉡이라 하여 조건에 맞는 나눗셈식을 세웁니다.
$㉠\div7=㉡\cdots4$
나눗셈식을 곱셈식으로 바꾸어 생각합니다.
$7\times㉡+4=㉠$
㉠, ㉡이 모두 두 자리 수이므로 ㉡=10인 경우부터 차례로 구합니다.
$(㉡, ㉠)=(10, 74), (11, 81), (12, 88), (13, 95)$
따라서 어떤 두 자리 수는 74, 81, 88, 95입니다.

보충 개념
㉡=10인 경우
➡ $7\times10+4=70+4=74$
㉡=11인 경우
➡ $7\times11+4=77+4=81$
㉡=12인 경우
➡ $7\times12+4=84+4=88$
㉡=13인 경우
➡ $7\times13+4=91+4=95$

최상위
사고력 민희가 생각한 수의 십의 자리 숫자를 □라 하여 계산 과정을 식으로
나타냅니다.

① □09

② □09−150

③ (□09−150)÷7

해결 전략
민희가 생각한 수의 십의 자리 숫자를 □라
하고 ①, ②, ③의 계산 과정을 식으로 나타
냅니다.

□에 2부터 9까지의 수를 차례로 넣어 150을 뺀 결과가 7로 나누어
떨어지는지 알아봅니다.

- □=2일 때 (209−150)÷7=59÷7=8⋯3
- □=3일 때 (309−150)÷7=159÷7=22⋯5
- □=4일 때 (409−150)÷7=259÷7=37 (나누어떨어집니다.)
- □=5일 때 (509−150)÷7=359÷7=51⋯2
- □=6일 때 (609−150)÷7=459÷7=65⋯4
- □=7일 때 (709−150)÷7=559÷7=79⋯6
- □=8일 때 (809−150)÷7=659÷7=94⋯1
- □=9일 때 (909−150)÷7=759÷7=108⋯3

따라서 □=4이므로 민희가 생각한 두 자리 수는 40입니다.

5-3. 조건에 맞는 수

1 87	**2** 22개	최상위 사고력 46살

저자 톡! 어떤 수를 몇 개의 수로 나눌 때 남거나 모자라는 상황을 이용하여 어떤 수를 구하는 내용입니다. 먼저 한 가지 조건에 맞는 수를
작은 수부터 차례로 구한 다음 다른 조건에 맞는 수도 찾을 수 있도록 합니다.

1 세 번째 조건에서 80보다 크고 90보다 작은 수는
81, 82, 83⋯⋯89입니다.
이 중에서 첫 번째 조건에 맞는 수는
82÷5=16⋯2, 87÷5=17⋯2이므로 82와 87입니다.
82와 87 중에서 두 번째 조건에 맞는 수는 87÷7=12⋯3입니다.
따라서 조건에 맞는 수는 87입니다.

해결 전략
세 번째 조건 → 첫 번째 조건 → 두 번째
조건 순서로 조건에 맞는 수를 찾습니다.

2 은수가 가진 사탕이 2개보다 많고 40개보다 적고, 4명에게 사탕을 나
누어 주면 2개가 남으므로 2보다 크고 40보다 작은 수 중에서 4로 나
누면 나머지가 2인 수를 구합니다.
6, 10, 14, 18, 22, 26, 30, 34, 38
5명에게 사탕을 나누어 주어도 2개가 남으므로 위에서 구한 수 중에서
5로 나누면 나머지가 2인 수는 22입니다.
따라서 은수가 가진 사탕은 22개입니다.

보충 개념
22÷5=4⋯2

다른 풀이

은수가 가진 사탕이 2개보다 많고 40개보다 적고, 5명에게 사탕을 나누어 주면 2개가 남으므로 40보다 작은 수 중에서 5로 나누면 나머지가 2인 수를 구합니다.

7, 12, 17, 22, 27, 32, 37입니다.

4명에게 사탕을 나누어 주어도 2개가 남으므로 위에서 구한 수 중에서 4로 나누면 나머지가 2인 수는 22입니다.

따라서 은수가 가진 사탕은 22개입니다.

지도 가이드

큰 수의 몇 배부터 찾는 것이 수를 더 적게 써서 찾을 수 있어 효율적이므로 큰 수의 몇 배부터 찾도록 지도합니다.

최상위 사고력 할아버지 나이는 70살보다 많고 100살보다 적으면서 작년 나이는 8로 나누어떨어지고, 올해 나이는 작년 나이보다 1살이 많으므로 작년 나이와 올해 나이를 작은 수부터 차례로 각각 쓰면 다음과 같습니다.

보충 개념

60보다 작으면서 7로 나누어떨어지는 수
➡ 60보다 작은 7의 배수

| 할아버지의 작년 나이 | 72 | 80 | 88 | 96 |
| 할아버지의 올해 나이 | 73 | 81 | 89 | 97 |

할아버지 올해 나이는 3으로 나누어떨어지므로 할아버지의 올해 나이는 81살입니다.

아빠 나이는 60살보다 적으면서 올해 나이는 7로 나누어떨어지고, 내년 나이는 올해 나이보다 1살이 많으므로 올해 나이와 내년 나이를 작은 수부터 차례로 각각 쓰면 다음과 같습니다.

| 아빠의 올해 나이 | 7 | 14 | 21 | 28 | 35 | 42 | 49 | 56 |
| 아빠의 내년 나이 | 8 | 15 | 22 | 29 | 36 | 43 | 50 | 57 |

아빠의 내년 나이는 6으로 나누어떨어지므로 아빠의 내년 나이는 36살이고, 올해 나이는 36살보다 1살 적은 35살입니다.

따라서 할아버지와 아빠의 나이 차이는 $81-35=46$(살)입니다.

최상위 사고력

52~53쪽

1 39   **2** 0

3 34개   **4** 21송이

---

1 정사각형 모양으로 묶은 9개의 수 중에서 가운데 수를 □라 하여 나머지 수를 나타내고, □를 이용하여 9개의 수의 합을 나타내면

$\square-8+\square-7+\square-6+\square-1+\square+\square+1+\square+6+\square+7+\square+8$
$=\square\times9$입니다.

9개의 수의 합이 279이므로 $\square\times9=279$, $\square=31$입니다.

따라서 한가운데 수는 31이므로 가장 큰 수는 $\square+8=31+8=39$입니다.

□−8	□−7	□−6
□−1	□	□+1
□+6	□+7	□+8

2 ㉠을 5로 나누면 몫은 ㉢이고, 나머지가 2이므로

㉠÷5＝㉢…2, ㉠＝5×㉢＋2입니다.

㉡을 5로 나누면 몫은 ㉢이고, 나머지가 3이므로

㉡÷5＝㉢…3, ㉡＝5×㉢＋3입니다.

㉠＋㉡＝5×㉢＋2＋5×㉢＋3＝10×㉢＋5이므로 ㉠＋㉡의 일의

자리 숫자는 5입니다.

따라서 ㉠＋㉡을 5로 나누면 나누어떨어지므로 나머지는 없습니다.

보충 개념

나누는 수와 몫의 곱에 나머지를 더하면 나누어지는 수가 되어야 합니다.

3 수혁이가 가진 딱지가 50개보다 적고, 7명에게 딱지를 나누어 주면 1개가 부족하므로 50보다 작은 수 중에서 7로 나누었을 때 나머지가 6인 수를 구합니다.

6, 13, 20, 27, 34, 41, 48

5명에게 딱지를 나누어 주어도 1개가 부족하므로 위에서 구한 수 중에서 5로 나누었을 때 나머지가 4인 수는 34입니다.

따라서 수혁이가 가진 딱지는 34개입니다.

해결 전략

한 가지 조건에 맞는 수를 먼저 찾은 후 그 중에서 나머지 조건에 맞는 수를 찾습니다.

> **다른 풀이**
>
> 수혁이가 가진 딱지가 50개보다 적고, 5명에게 딱지를 나누어 주면 1개가 부족하므로 50보다 작은 수 중에서 5로 나누어떨어지는 수에서 1 작은 수를 구합니다.
>
> 4, 9, 14, 19, 24, 29, 34, 39, 44, 49
>
> 7명에게 딱지를 나누어 주어도 1개가 부족하므로 위에서 구한 수 중에서 7로 나누어떨어지는 수에서 1 작은 수는 34입니다.
>
> 따라서 수혁이가 가진 딱지는 34개입니다.

4 친구들이 □명이라고 할 때 민아가 가진 꽃의 수를 식으로 세웁니다.

(꽃을 3송이씩 나누어 줄 때 민아가 가진 꽃의 수)＝□×3＋6

(꽃을 4송이씩 나누어 줄 때 민아가 가진 꽃의 수)＝□×4＋1

민아가 가지고 있는 꽃의 수는 같으므로

□×3＋6＝□×4＋1, □＝5입니다.

따라서 민아가 가진 꽃은 □×3＋6＝5×3＋6＝21(송이)입니다.

보충 개념

□×3＋6＝□×4＋1

▨＋▨＋▨＋6＝▨＋▨＋▨＋□＋1

6＝□＋1, □＝6－1＝5

> **다른 풀이**
>
> □명의 친구들에게 꽃을 3송이씩 나누어 주면 6송이가 남으므로 그림을 그려 나타냅니다. 그런 다음 4송이씩 나누어 주면 1송이가 남으므로 남은 꽃 6송이 중에서 5송이를 다른 사람에게 1송이씩 줍니다.
>
> | 사람 | 꽃 |
> |---|---|
> | 1 | ●●● |
> | 2 | ●●● |
> | 3 | ●●● |
> | 4 | ●●● |
> | 5 | ●●● |
> | ⋮ | |
> | | ○○○○○○ |
>
> ➡
>
> | 사람 | 꽃 |
> |---|---|
> | 1 | ●●●○ |
> | 2 | ●●●○ |
> | 3 | ●●●○ |
> | 4 | ●●●○ |
> | 5 | ●●●○ |
> | | ○ |
>
> 따라서 친구들은 5명이고, 꽃을 4송이씩 나누어 주면 1송이가 남으므로 민아가 가진 꽃은 5×4＋1＝21(송이)입니다.

6-1. 가로수

1 (1) 60그루 (2) 90그루   최상위 사고력 **A** 56 m   최상위 사고력 **B** 46개

> **저자 톡!** 일정한 간격으로 심어져 있는 나무를 이용하여 나무의 수와 거리를 구하는 내용입니다. 실수하기 쉬운 주제이므로 문제를 단순화하여 문제의 핵심을 파악하는 것이 중요합니다.

1 (1) 길이가 174 m인 직선 도로를 6 m 간격으로 나누면
$174 \div 6 = 29$(개)의 간격이 생기므로 심어야 하는 가로수는
$29 + 1 = 30$(그루)입니다.
가로수를 도로 양쪽에 심어야 하므로 모두 $30 \times 2 = 60$(그루)를
심어야 합니다.

해결 전략
일직선 위에서 일정한 간격으로 나무를 심을 때 나무의 수는 간격의 수보다 1 큽니다.

(2) 둘레가 180 m인 원 모양의 연못을 6 m 간격으로 나누면
$180 \div 6 = 30$(개)의 간격이 생기므로 심어야 하는 은행나무는
30그루입니다.
간격마다 두 그루의 벚나무를 심어야 하므로 벚나무는
(간격의 수)×(간격마다 심는 벚나무의 수)$= 30 \times 2 = 60$(그루)를
심어야 합니다.
따라서 심어야 하는 나무는 모두 $30 + 60 = 90$(그루)입니다.

해결 전략
원 위에서 일정한 간격으로 나무를 심을 때 간격의 수와 나무의 수는 같습니다.

최상위 사고력 A 전봇대가 15개 있었으므로 원래 있던 전봇대 사이의 간격은
$15 - 1 = 14$(개)입니다.
➡ 두 마을 사이의 직선 도로의 길이는 $14 \times 36 = 504$(m)입니다.
새로운 전봇대 10개를 설치하면 간격은 모두 $10 - 1 = 9$(개)가 생기
므로 새로운 전봇대 사이의 간격은 $504 \div 9 = 56$(m)입니다.

해결 전략
일직선 위에서 일정한 간격으로 전봇대를 심으므로 (간격 수)=(전봇대의 수)−1입니다.

최상위 사고력 B 오각형의 한 변에 한 꼭짓점만 포함되도록 5묶음으로 묶고 가로등의
개수를 세어 보면 각 변에 가로등은 $37 - 1 = 36$(개)씩 있으므로 오각
형의 5개의 변에 설치된 가로등은 모두 $36 \times 5 = 180$(개)입니다.
오각형과 같이 정사각형의 한 변에 한 꼭짓점만 포함되도록 4묶음으
로 묶고 가로등의 개수를 세어 보면 180개의 가로등은 한 묶음에
$180 \div 4 = 45$(개)씩 설치할 수 있습니다.
따라서 한 변에는 두 꼭짓점이 포함되므로 정사각형의 한 변에 설치되
는 가로등은 $45 + 1 = 46$(개)입니다.

주의
정사각형 모양의 공원의 한 변에 설치되는 가로등의 수를 구해야 합니다.

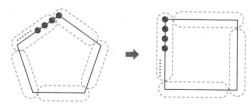

1 (1) 6 (2) 83번   **2** 3   최상위 사고력 (1) 2 (2) 4

저자 톡! 수없이 많이 나열된 수 또는 수의 곱에서 일정하게 반복되는 수의 규칙을 찾아 알맞은 수를 구하는 내용입니다. 문제 해결의 도구로써 나눗셈의 유용함을 느끼도록 합니다.

1 1, 2, 4, 6, 7, 1이 되풀이되는 규칙입니다.

(1) $100 \div 6 = 16 \cdots 4$이므로 100번째 놓이는 수는 1, 2, 4, 6, 7, 1이 16번 반복되고 1, 2, 4, 6, 7, 1의 앞에서 4번째 수를 나타내므로 6입니다.

(2) $247 \div 6 = 41 \cdots 1$이므로 246번째까지는 1, 2, 4, 6, 7, 1이 41번 반복되고, 247번째 수는 1, 2, 4, 6, 7, 1의 첫 번째 수인 1입니다.

따라서 1, 2, 4, 6, 7, 1에는 1이 2개씩 있으므로 247번째까지 1은 $41 \times 2 + 1 = 82 + 1 = 83$(번) 나옵니다.

> **보충 개념**
> 6개씩 묶어서 생각하면 100을 6으로 나눈 몫은 여섯 개의 수의 묶음의 수를 나타내고, 나머지는 반복되는 여섯 개의 수에서 몇 번째를 나타냅니다.

2 8을 곱하는 개수가 1, 2, 3, 4, 5……일 때 곱의 일의 자리 숫자는 8, 4, 2, 6, 8……로 8, 4, 2, 6이 되풀이되는 규칙입니다.

$97 \div 4 = 24 \cdots 1$이므로 8을 97번 곱한 수의 일의 자리 숫자는 8, 4, 2, 6의 앞에서 1번째 수인 8입니다.

따라서 주어진 곱을 5로 나누면 나머지는 곱의 일의 자리 숫자를 나눈 나머지와 같으므로 $8 \div 5 = 1 \cdots 3$에서 3입니다.

> **보충 개념**
> $8 = 8$
> $8 \times 8 = 64$
> $8 \times 8 \times 8 = 512$
> $8 \times 8 \times 8 \times 8 = 4096$
> $8 \times 8 \times 8 \times 8 \times 8 = 32768$
> ⋮

최상위 사고력 (1) 2의 곱에서 일의 자리 숫자의 규칙: 2, 4, 8, 6

3의 곱에서 일의 자리 숫자의 규칙: 3, 9, 7, 1

5의 곱에서 일의 자리 숫자의 규칙: 5

4의 곱에서 일의 자리 숫자의 규칙: 4, 6

2^{50}에 대하여 $50 \div 4 = 12 \cdots 2$이므로 2를 50번 곱한 수의 일의 자리 숫자는 2, 4, 8, 6의 두 번째 수인 4입니다.

3^{82}에 대하여 $82 \div 4 = 20 \cdots 2$이므로 3을 82번 곱한 수의 일의 자리 숫자는 3, 9, 7, 1의 두 번째 수인 9입니다.

5^{67}에 대하여 5의 곱의 일의 자리 숫자는 항상 5이므로 67번 곱한 수의 일의 자리 숫자는 5입니다.

4^{135}에 대하여 $135 \div 2 = 67 \cdots 1$이므로 4를 135번 곱한 수의 일의 자리 숫자는 4, 6에서 첫 번째 수인 4입니다.

따라서 $2^{50} + 3^{82} + 5^{67} + 4^{135}$의 일의 자리 숫자는 $4 + 9 + 5 + 4 = 22$이므로 2입니다.

> **해결 전략**
> 먼저 2, 3, 5, 4에 대하여 같은 수를 여러 번 곱할 때 곱의 반복되는 일의 자리 숫자의 규칙을 찾습니다.

(2) 9의 곱에서 일의 자리 숫자의 규칙: 9, 1

8의 곱에서 일의 자리 숫자의 규칙: 8, 4, 2, 6

7의 곱에서 일의 자리 숫자의 규칙: 7, 9, 3, 1

9^{365}에 대하여 $365 \div 2 = 182 \cdots 1$이므로 9를 365번 곱한 수의 일의 자리 숫자는 9, 1의 첫 번째 수인 9입니다.

8^{276}에 대하여 $276 \div 4 = 69$이므로 8을 276번 곱한 수의 일의 자리 숫자는 8, 4, 2, 6의 네 번째 수인 6입니다.

7^{400}에 대하여 $400 \div 4 = 100$이므로 7을 400번 곱한 수의 일의 자리 숫자는 7, 9, 3, 1의 네 번째 수인 1입니다.

➡ 9^{365}, 8^{276}, 7^{400}의 일의 자리 숫자의 곱은 $9 \times 6 \times 1 = 54$입니다.

따라서 $9^{365} + 8^{276} + 7^{400}$을 10으로 나눈 나머지는

$54 \div 10 = 5 \cdots 4$이므로 4입니다.

해결 전략
먼저 9, 8, 7에 대하여 같은 수를 여러 번 곱할 때 반복되는 일의 자리 숫자의 규칙을 찾습니다.

6-3. 달력

1 (1) 일요일 (2) 일요일 (3) 수요일   최상위 사고력 A **7월**   최상위 사고력 B **5일**

저자 톡! 달력의 규칙을 이용하여 며칠 후의 요일과 날짜를 구하는 내용입니다. 앞에서 학습한 수의 규칙에서와 같이 일정하게 반복되는 규칙의 문제는 나눗셈을 이용하여 쉽게 해결할 수 있습니다.

1 (1) 어린이날은 5월 5일입니다. 2월, 3월, 4월, 5월 각 달의 1일의 요일을 찾아 5월 5일의 요일을 구합니다.

달력에서 1월 31일이 목요일이므로 2월 1일은 금요일입니다.

3월 1일은 2월 1일부터 28일 후이고, $28 \div 7 = 4$이므로 금요일입니다.

4월 1일은 3월 1일부터 31일 후이고, $31 \div 7 = 4 \cdots 3$이므로 금요일의 3일 뒤인 월요일입니다.

5월 1일은 4월 1일부터 30일 후이고, $30 \div 7 = 4 \cdots 2$이므로 월요일의 2일 뒤인 수요일입니다.

따라서 5월 5일은 5월 1일부터 4일 뒤이므로 일요일입니다.

(2) 1월 1일은 화요일이고, $100 \div 7 = 14 \cdots 2$이므로 화요일의 2일 전인 일요일입니다.

(3) 다음 해 1월 1일은 어느 해 1월 1일부터 365일 후이고, $365 \div 7 = 52 \cdots 1$이므로 화요일의 1일 뒤인 수요일입니다.

해결 전략
같은 요일은 7일씩 되풀이되는 규칙을 이용합니다.

최상위 사고력 A 10월은 31일까지 있으므로 다음 해의 월 중에서 31일까지 있고, 10월 1일부터 7의 배수만큼 지난 월을 찾습니다.

$$10월 \xrightarrow[5일 뒤]{61일 후} 12월 \xrightarrow[3일 뒤]{31일 후} 1월 \xrightarrow[3일 뒤]{59일 후} 3월 \xrightarrow[5일 뒤]{61일 후} 5월 \xrightarrow[5일 뒤]{61일 후} 7월$$

따라서 다음 해 7월 달력과 같습니다.

최상위 사고력 B 1년 후인 365일 후에는 365÷7=52…1이므로 요일이 1일씩 뒤로 밀립니다.
따라서 3년 뒤 1월 1일은 월요일이므로 1월의 첫 번째 금요일은 4일이 지난 5일입니다.

주의
2월은 28일까지 있습니다.

최상위 사고력 60~61쪽

1 16살

2 90

3 검은 바둑돌, 61개

4 토요일

1 민수의 나이를 □라 하면 아빠의 나이는 □×3이므로
두 사람의 나이 차이는 □×3−□=□×2가 됩니다.
두 사람의 나이 차이는 32살이므로 □×2=32, □=16입니다.
따라서 민수의 나이는 16살입니다.

해결 전략
민수와 아빠의 나이 차이는 몇 년이 지나도 변하지 않습니다.

2 화살표의 방향이 반대인 것끼리는 계산을 하지 않은 것과 같습니다.
따라서 화살표를 반대 방향인 것끼리 지워 간단히 한 후, ㉠에 알맞은 수를 구합니다.

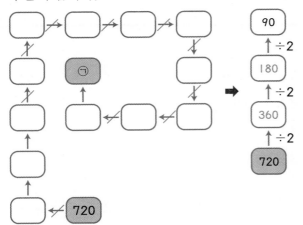

보충 개념
→, ←는 3을 곱하고 다시 3으로 나누므로 처음 수가 됩니다.
↓, ↑는 2를 곱하고 다시 2로 나누므로 처음 수가 됩니다.

3 ⚪●●⚪●●●⚪●●⚪●●●⚪ ……

7개의 바둑돌 ⚪●●⚪●●●이 되풀이되는 규칙입니다.
145÷7=20…5이므로 145번째까지 바둑돌은 반복되는 7개의 바둑돌이 20묶음 있고, 나머지 5개의 바둑돌 ⚪●●⚪●이 더 있습니다.
반복되는 7개의 바둑돌에는 검은 바둑돌이 흰 바둑돌보다 3개씩 많으므로 20묶음에는 검은 바둑돌이 3×20=60(개) 더 많고, 나머지 5개의 바둑돌에서는 검은 바둑돌이 1개 더 많습니다.
따라서 145번째까지 바둑돌을 놓는다면 검은 바둑돌이 흰 바둑돌보다 60+1=61(개) 더 많습니다.

4 1년은 365일이고 365÷7=52…1이므로 같은 날짜의 요일이 1일 뒤로 밀리고, 윤년에는 366÷7=52…2이므로 같은 날짜의 요일이 2일 뒤로 밀립니다.

	366일 후	365일 후	365일 후	365일 후	366일 후	365일 후
2019년	2020년	2021년	2022년	2023년	2024년	2025년
(금요일)	(일요일)	(월요일)	(화요일)	(수요일)	(금요일)	(토요일)
	2일 뒤	1일 뒤	1일 뒤	1일 뒤	2일 뒤	1일 뒤

따라서 2019년의 삼일절은 금요일이므로 2025년의 삼일절은 8일 뒤로 밀린 토요일입니다.

Review II 연산(2)

62~64쪽

1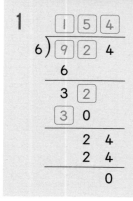

2 489, 10

3 9

4 83, 91, 99

5 83

6 336 m

1 ① $\bigcirc-6=3$, $\bigcirc=9$

② $6\times\bigcirc=6$, $\bigcirc=1$

③ $6\times\textcircled{ㄹ}=\textcircled{ㄷ}0$, $\textcircled{ㄹ}=5$, $\textcircled{ㄷ}=3$

④ $\textcircled{ㅁ}-0=2$, $\textcircled{ㅁ}=2$, $\textcircled{ㅂ}=2$

⑤ $6\times\textcircled{ㅅ}=24$, $\textcircled{ㅅ}=4$

```
      ㄴ ㄹ ㅅ              1 5 4
   6)ㄱ ㅂ 4    ➡    6)9 2 4
     6                   6
     ───                 ───
     3 ㅁ                3 2
     ㄷ 0                3 0
     ───                 ───
       2 4                 2 4
       2 4                 2 4
     ───                 ───
         0                   0
```

2 $\bigcirc\div\bigcirc=48\cdots9$라 하면

나누는 수는 나머지보다 커야 하므로 $\bigcirc>9$입니다.

나눗셈식을 곱셈식으로 바꾸어 생각합니다.

$\bigcirc\div\bigcirc=48\cdots9$ ➡ $\bigcirc=48\times\bigcirc+9$

$\bigcirc$이 가장 작을 때 $\bigcirc$도 가장 작으므로 $\bigcirc=10$일 때

$\bigcirc=48\times\bigcirc+9=48\times10+9=489$로 가장 작습니다.

보충 개념

나누는 수와 몫의 곱에 나머지를 더하면 나누어지는 수가 되어야 한다.

3 7을 여러 번 곱할 때 곱의 일의 자리 숫자는 7, 9, 3, 1이 되풀이되는

규칙입니다.

$88\div4=22$이므로 7을 88번 곱한 수의 일의 자리 숫자는

7, 9, 3, 1에서 네 번째 수인 1입니다.

9를 여러 번 곱할 때 곱의 일의 자리 숫자는 9, 1이 되풀이되는 규칙

입니다.

$135\div2=67\cdots1$이므로 9를 135번 곱한 수의 일의 자리 숫자는

9, 1에서 첫 번째 수인 9입니다.

따라서 계산 결과의 일의 자리 숫자는 $1\times9=9$입니다.

4 어떤 두 자리 수를 $\bigcirc$, 몫을 $\bigcirc$이라 하여 조건에 맞게 나눗셈식을 세웁

니다.

$\bigcirc\div8=\bigcirc\cdots3$

나눗셈식을 곱셈식으로 바꿔 생각합니다.

$\bigcirc=8\times\bigcirc+3$

$\bigcirc$, $\bigcirc$이 모두 두 자리 수이므로 $\bigcirc=10$인 경우부터 차례로 구합니다.

$(\bigcirc, \bigcirc)=(10, 83), (11, 91), (12, 99)$

따라서 어떤 두 자리 수는 83, 91, 99입니다.

해결 전략

조건에 맞게 나눗셈식을 세운 후 곱셈식으로 바꿔 생각합니다.

5 세 수 중 가장 큰 수를 □라 하면 세 수는 □−7, □−1, □입니다.
세 수의 합은 □×3−8=127이므로 □=45입니다.
따라서 세 수 중 가장 큰 수는 45이고, 가장 작은 수는 45−7=38이
므로 두 수의 합은 45+38=83입니다.

6 원 모양의 호수 둘레를 □라 하고
7 m 간격으로 나눌 때 필요한 가로등의 수를 ㉠이라고 하면
□÷7=㉠ ➡ □=7×㉠
4 m 간격으로 나눌 때 필요한 가로등의 수를 ㉡이라고 하면
□÷4=㉡ ➡ □=4×㉡
이므로 7×㉠=4×㉡입니다.
㉠+36=㉡이므로 위에서 구한 식에 넣으면
7×㉠=4×(㉠+36)
7×㉠=4×㉠+144
3×㉠=144
㉠=144÷3=48입니다.
따라서 호수 둘레는 7×48=336(m)입니다.

해결 전략
문제에 맞게 나눗셈식을 세운 후 곱셈식으로 바꿔 생각합니다.

보충 개념
7×㉠=4×(㉠+36)
    =4×㉠+4×36
    =4×㉠+144

Ⅲ 도형

2학년 때까지는 원을 전체적인 모양과 물체를 직접 본뜬 모양으로 이해하였다면 3학년에서는 본격적으로 원의 성질에 주목하여 원을 학습하게 됩니다.

7 원과 도형의 수에서는 효율적으로 원의 개수를 구하는 문제를 시작으로 원 위의 점을 이어 그을 수 있는 선분의 개수를 구하는 문제를 다루고, 주어진 영역의 개수에 맞게 선분을 그어 원을 나누는 문제를 다룹니다.

8 원과 길이에서는 원의 지름과 반지름에 관한 성질에 기초하여 원을 둘러싼 도형과 원을 이용하여 만들어진 다각형에서 길이를 구합니다.

두 가지 주제 모두 원의 성질을 이용하여 해결할 수 있는 문제를 주로 다루므로 원의 중심, 반지름 등의 용어와 원의 기본적인 성질을 정확히 알고 학습하도록 합니다.

최상위 사고력 **7** **원과 도형의 수**

7-1. 원의 수
66~67쪽

1 19개   최상위 사고력 **25개**

저자 톡! 원의 일부분을 보고 원의 개수를 구하는 내용입니다. 원의 구성 요소인 원의 중심과 반지름에 주목하여 원을 중복하지 않고 빠짐없이 찾는 방법을 생각해 봅니다.

1

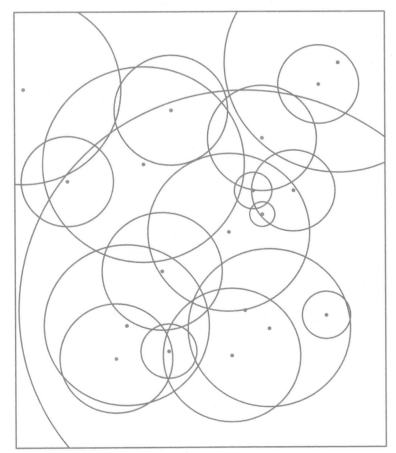

> 해결 전략
> 원의 수를 셀 때 빠뜨리거나 중복하여 셀 수 있으므로 원의 중심을 표시하면서 세어 봅니다.

➡ 원의 중심은 19개이므로 원 또는 원의 일부분은 모두 19개입니다.

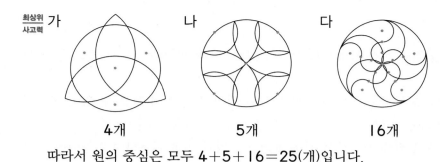

가   나   다

4개   5개   16개

> **주의**
> 원의 중심 중에서 겹쳐지는 곳이 있으므로 중복하여 세지 않도록 주의합니다.

따라서 원의 중심은 모두 4＋5＋16＝25(개)입니다.

7-2. 원 위의 점을 이은 선분

68~69쪽

1 예   최상위 사고력 **28개**

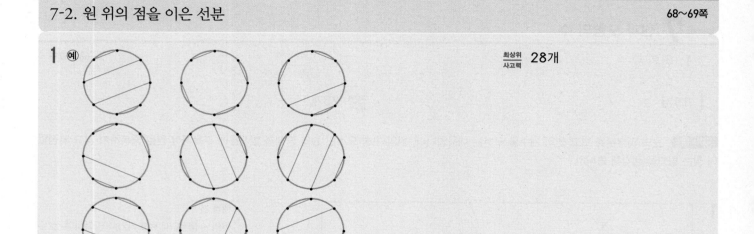

저자 톡! 조건에 맞게 원 위의 점을 잇는 선분의 개수를 구하는 내용입니다. 무작정 점을 이어 선분을 만들기보다 기준을 정하고 규칙을 찾아 개수를 구하도록 합니다.

1 원 위의 점이 일정한 간격으로 8개 찍혀 있으므로 가운데 있는 두 점을 이으면 4개의 선분이 서로 만나지 않도록 선분을 그을 수 없습니다.

4개의 선분이 서로 만나지 않도록 4개의 선분을 그은 후 모양을 돌려가며 서로 다른 방법을 찾아봅니다.

> **주의**
> 다음과 같이 선분이 서로 만나도록 그리면 안 됩니다.
>
>

한 점에서 그을 수 있는 선분의 수는

(원 위의 점의 수)−1=8−1=7(개)이고,

원 위에 점이 8개 있으므로 선분을 7×8=56(개) 그을 수 있습니다.

각각의 점에서 그은 선분은 2개씩 겹쳐지므로 2로 나누어야 합니다.

따라서 선분은 모두 56÷2=28(개) 그을 수 있습니다.

보충 개념
(원 위의 점을 이어 그을 수 있는 선분의 수)
=(점의 수)
×(한 점에서 그을 수 있는 선분의 수)÷2

다른 풀이

원 위의 점을 1개씩 늘려가며 그을 수 있는 선분의 수의 규칙을 찾습니다.

점의 수(개)	2	3	4	5	......
	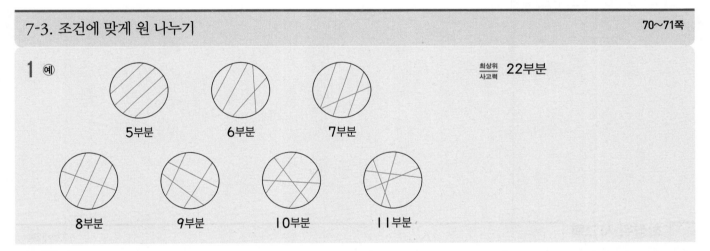				
선분의 수(개)	1	3	6	10	......

점의 수가 1개씩 늘어날 때마다 그을 수 있는 선분의 수는 2, 3, 4......씩 늘어나므로
원 위에 8개의 점이 일정한 간격으로 찍혀 있을 때 그을 수 있는 선분의 수는
1+2+3+4+5+6+7=28(개)입니다.

7-3. 조건에 맞게 원 나누기

1 예

최상위
사고력 **22부분**

> 5부분 6부분 7부분
> 8부분 9부분 10부분 11부분

저자 톡! 원 안에 선분을 그어 주어진 수만큼 원을 나누는 내용입니다. 처음에는 자유롭게 선을 그어 나누어지는 영역의 개수를 관찰하고 규칙을 찾아 효율적으로 문제를 해결할 수 있도록 합니다.

1 나누어지는 부분이 적으려면 선분끼리 만나는 부분이 적어야 하고,
나누어지는 부분이 많으려면 선분끼리 만나는 부분이 많아야 합니다.

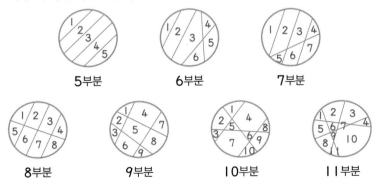

> 5부분 6부분 7부분
> 8부분 9부분 10부분 11부분

나누어지는 부분이 최대가 되려면 선분끼리 만나는 부분이 많아지도록
선분을 긋습니다.

해결 전략
선분의 수에 따라 가장 많게 나눈 부분의 수의 규칙을 찾아봅니다.

선분이 1개인 경우: 2부분

선분이 2개인 경우: 4부분

선분이 3개인 경우: 7부분

선분이 4개인 경우: 11부분

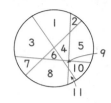

보충 개념
선분이 6개인 경우: 22부분

선분의 수가 1개, 2개, 3개, 4개⋯⋯로 늘어날 때마다 가장 많게 나눈
부분의 수는 2부분, 4부분, 7부분, 11부분⋯⋯으로 2, 3, 4⋯⋯씩
늘어납니다.
따라서 선분 6개를 그어 원을 가장 많게 나눌 수 있는 부분의 수는
11+5+6=22(부분)입니다.

최상위 사고력

1 예)

. 12개

2 10개

3 (1) 민우 (2) 하영

1 먼저 원 3개를 가장 많이 만나도록 그린 후 마지막에 직선도 3개의
원과 가장 많이 만나도록 그립니다.

주의
원과 직선이 서로 만나서 생기는 점만 세어
6개라고 생각하지 않도록 합니다.

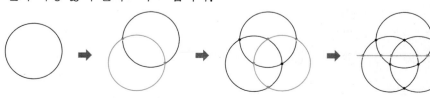

따라서 만나는 점은 모두 2+4+6=12(개)입니다.

2 원의 일부분에 대한 원의 중심을 찾은 후 원을 따라 곡선을 그어 보고,
주어진 곡선 중에 긋지 않은 선이 있는지 확인하며 찾습니다.
다음 그림과 같이 원의 중심은 10개입니다.

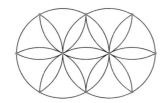

해결 전략
선이 만나는 곳을 중점적으로 관찰합니다.

3 (1) (원 위의 점을 이어 그을 수 있는 선분의 수)
  =(점의 수)×(한 점에서 그을 수 있는 선분의 수)÷2
  =4×3÷2
  =6(개)
  6개의 선분을 수지, 민우 순서로 번갈아 가며 그으면
  6÷2=3이므로 마지막에 민우가 선분을 긋게 됩니다.
  따라서 민우가 이깁니다.

(2) (원 위의 점을 이어 그을 수 있는 선분의 수)
  =(점의 수)×(한 점에서 그을 수 있는 선분의 수)÷2
  =9×8÷2
  =36(개)
  36개의 선분을 하영, 수지, 민우, 진아, 동현 순서로 번갈아 가며
  그으면 36÷5=7…1이므로 마지막에 하영이가 선분을 긋게 됩니다.
  따라서 하영이가 이깁니다.

해결 전략
원 위의 점을 이어 그을 수 있는 선분의 수를 구한 후 생각합니다.

최상위 사고력 **8** **원과 길이**

8-1. 원의 지름과 반지름
74~75쪽

1 20 cm	**2** 6개, 3 cm	최상위 사고력 81 cm

저자 톡! 크고 작은 여러 개의 원에서 원의 중심과 반지름, 지름을 이용하여 주어진 길이를 구하는 내용입니다. 원의 지름과 반지름의 성질, 원의 지름과 반지름 사이의 관계를 이용하여 구하도록 합니다.

1 점 ㄴ을 중심으로 하는 작은 원과 큰 원의 반지름의 차가 8 cm이므로
(선분 ㄷㅁ)=8 cm입니다.
점 ㄷ을 중심으로 하는 원의 반지름이 8 cm이므로 (선분 ㄴㄷ)=8 cm입니다.
점 ㄴ을 중심으로 하는 원의 반지름이 8 cm이므로 (선분 ㄱㄴ)=8 cm입니다.
따라서 (선분 ㄱㄹ)=8+8+4=20(cm)입니다.
    └→ (반지름)×2=(지름)

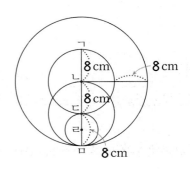

2 반지름이 30 cm인 원의 지름은 60 cm입니다.

지름이 9 cm씩 작아지는 원의 지름은 차례로

$60-9=51$(cm), $51-9=42$(cm), $42-9=33$(cm),

$33-9=24$(cm), $24-9=15$(cm), $15-9=6$(cm)이므로

가장 큰 원 안에 그릴 수 있는 원은 6개이고, 가장 작은 원의 지름이

6 cm이므로 반지름은 3 cm입니다.

보충 개념
(지름)=(반지름)×2

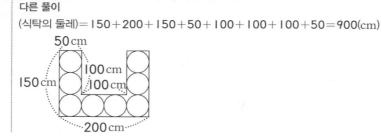

순서	1번째	2번째	3번째	4번째	5번째	6번째	7번째	8번째
반지름 (cm)	1	2	3	6	9	18	27	54

최상위 사고력

해결 전략
순서대로 반지름을 구하여 규칙을 찾아봅
니다.

➡ 9번째 원의 반지름은 7번째 원의 반지름과 8번째 원의 반지름의

합이므로 $27+54=81$(cm)입니다.

8-2. 원을 둘러싼 도형   76~77쪽

1 900 cm   **2** 18개   최상위 사고력 **5 cm**

저자 톡! 여러 개의 원을 둘러싸고 있는 직사각형 모양의 둘레를 구하는 내용입니다. 원의 성질과 직사각형의 둘레에 대한 성질을 이용하여 구하도록 합니다.

1 (식탁의 둘레)=(지름)×18
$$=50\times18=900(\text{cm})$$

해결 전략
원의 지름을 이용하여 식탁의 둘레를 구합
니다.

다른 풀이
(식탁의 둘레)=150+200+150+50+100+100+100+50=900(cm)

50 cm
150 cm
100 cm
100 cm
200 cm

2 (반지름)=$10\div2=5$(cm)

직사각형의 가로와 세로의 합이 $210\div2=105$(cm)이므로

(가로)=$105-10=95$(cm)입니다.

원의 개수를 $\square$라고 하면 직사각형의 가로는 반지름×($\square+1$)개의 길

이와 같으므로

$5\times(\square+1)=95$, $\square+1=19$, $\square=18$(개)입니다.

해결 전략
먼저 원의 반지름과 직사각형의 가로를
구합니다.

최상위 사고력 원의 지름을 □cm라고 하면

(직사각형 ㄱㄴㄷㄹ의 둘레)=□×4+□×3+□×4+□×3

=□×14(cm)

(직사각형 ㅁㅂㅅㅇ의 둘레)=□×3+□×2+□×3+□×2

=□×10(cm)

(직사각형 ㄱㄴㄷㄹ의 둘레)-(직사각형 ㅁㅂㅅㅇ의 둘레)=□×14-□×10=□×4(cm)

직사각형 ㄱㄴㄷㄹ의 둘레가 직사각형 ㅁㅂㅅㅇ의 둘레보다 20 cm 더 길므로

□×4=20, □=5입니다. 따라서 원의 지름은 5 cm입니다.

해결 전략
원의 지름을 □cm라고 하여 직사각형 ㄱㄴㄷㄹ과 직사각형 ㅁㅂㅅㅇ의 둘레를 □을 이용하여 나타냅니다.

8-3. 원과 다각형

1 6 cm   **2** 6 cm   **최상위 사고력** 28 cm

저자 톡! 원을 이용하여 만들어진 다각형에서 원의 성질을 이용하여 주어진 길이를 구하는 내용입니다. 한 원 안에 있는 반지름은 모두 같다는 성질을 주어진 조건과 같이 이용하여 구합니다.

1 큰 원의 지름이 작은 원의 지름의 2배이므로 작은 원의 지름을 □cm라고 하면 큰 원의 지름은 □×2(cm)입니다.

삼각형 ㄱㄴㄷ의 둘레는 각 원의 지름의 합이므로

(삼각형 ㄱㄴㄷ의 둘레)=□+□×2+□×2

=□×5

=30(cm)

따라서 작은 원의 지름은 6 cm입니다.

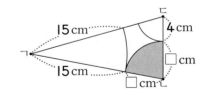

보충 개념

원의 중심이 ㄱ인 원의 반지름

원의 중심이 ㄷ인 원의 반지름

원의 중심이 ㄴ인 원의 반지름

2 색칠한 원의 반지름을 □cm라고 하면 변 ㄱㄴ의 길이는 (15+□)cm이고, 변 ㄱㄷ과 변 ㄱㄴ의 길이가 같으므로 변 ㄱㄷ의 길이도 (15+□)cm입니다.

삼각형 ㄱㄴㄷ의 둘레가 52 cm이므로

15+□+15+□+4+□=52, 34+□×3=52, □×3=18,

□=6입니다.

따라서 색칠한 원의 반지름은 6 cm입니다.

최상위 사고력 (선분 ㄷㄹ)=34 cm이고, 선분 ㄷㄹ과 선분 ㅅㄷ의 길이가 같으므로

(선분 ㄴㅅ)=(선분 ㄴㄷ)-(선분 ㅅㄷ)=48-34=14(cm)입니다.

선분 ㄴㅅ과 선분 ㄴㅂ의 길이가 같으므로

(선분 ㄱㅂ)=(선분 ㄱㄴ)-(선분 ㄴㅂ)=34-14=20(cm)입니다.

선분 ㄱㅁ과 선분 ㄱㅂ의 길이와 같으므로

(선분 ㅁㄹ)=(선분 ㄱㄹ)-(선분 ㄱㅁ)=48-20=28(cm)입니다.

따라서 색칠한 원의 반지름은 28 cm입니다.

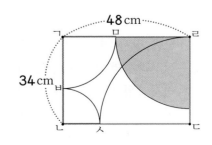

1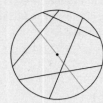

2 6 cm

3 6개

4 40 cm

1 원의 중심을 지나는 선분을 찾습니다.

해결 전략
원 안에서 가장 긴 선분은 지름입니다.

2 ㉠의 길이는 원의 지름과 반지름의 합입니다.
원의 반지름을 □ cm라고 하면 정사각형의 둘레가 36 cm이므로
□×3×4=36, □×12=36, □=3입니다.
따라서 원의 지름은 3×2=6(cm)입니다.

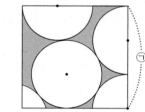

3 지름이 50 cm인 원의 반지름은 25 cm이므로 원의 반지름의 합이
25 cm보다 작을 때까지 그릴 수 있습니다.
가장 작은 원의 반지름이 1 cm이고, 원의 반지름이 1 cm씩 커지므로
1+2+3+4+5+6=21<25이고,
1+2+3+4+5+6+7=28>25입니다.
따라서 원은 모두 6개까지 그릴 수 있습니다.

4 직사각형 ㄱㄴㄷㄹ에서
(선분 ㄱㄷ)=(원의 반지름)=20 cm입니다.
작은 직사각형의 네 꼭짓점을 지나는 원을 그려 생각하면
직사각형의 두 대각선은 길이가 같고 서로 다른 것을 이등분하므로
직사각형 ㅁㅅㄷㅂ에서 (선분 ㅂㅅ)=(선분 ㅁㄷ)=10 cm입니다.
따라서 (작은 원의 반지름)=10 cm이고,
같은 방법으로 색칠한 사각형의 다른 변의 길이도 모두 10 cm이므로
색칠한 사각형의 둘레는 10×4=40(cm)입니다.

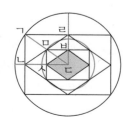

1 210 cm	**2** 19번	**3** 21개
4 36 cm	**5** 9 cm	**6** 29부분

1 원의 지름이 30 cm이므로 원의 반지름은 15 cm입니다.
다음과 같이 원의 중심을 가로와 세로로 연결한 선분의 길이는 직사각형의 가로와 세로의 길이와 같습니다.

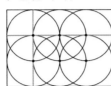

(직사각형의 가로)＝(반지름)×4＝15×4＝60(cm)
(직사각형의 세로)＝(반지름)×3＝15×3＝45(cm)
따라서 직사각형의 둘레는 60＋45＋60＋45＝210(cm)입니다.

> **해결 전략**
> 직사각형의 가로와 세로를 원의 반지름을 이용하여 구합니다.

2 원의 중심을 표시하여 차례로 세어 봅니다.

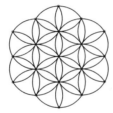

따라서 침을 모두 19번 꽂아야 합니다.

> **주의**
> 원의 중심이 같은 원의 중심은 1개로 생각합니다.

3 한 점에서 그을 수 있는 선분의 수는
(원 위의 점의 수)－1＝7－1＝6(개)이고,
원 위에 점이 7개 있으므로 선분을 6×7＝42(개) 그을 수 있습니다.
각각의 점에서 그은 선분은 2개씩 겹쳐지므로 2로 나누어야 합니다.
따라서 선분은 모두 42÷2＝21(개) 그을 수 있습니다.

> **보충 개념**
> (원 위의 점을 이어 그을 수 있는 선분의 수)
> ＝(점의 수)
> ×(한 점에서 그을 수 있는 선분의 수)÷2

4 원의 반지름을 □ cm라고 하면
(육각형의 둘레)＝□×12(cm), (삼각형의 둘레)＝□×18(cm)
삼각형의 둘레가 육각형의 둘레보다 12 cm 더 길므로
(삼각형의 둘레)－(육각형의 둘레)＝□×18－□×12＝12(cm)
➡ □×6＝12, □＝2입니다.
따라서 삼각형의 둘레는 2×18＝36(cm)입니다.

5 작은 원의 반지름을 $\square$ cm라고 하면 큰 원의 반지름은 $\square \times 2$(cm)입니다.

(사각형 ㄱㄴㄷㄹ의 둘레)=(변 ㄱㄴ)+(변 ㄴㄷ)+(변 ㄷㄹ)+(변 ㄹㄱ)

$$=\square+\square+\square\times 2+\square\times 2=\square\times 6$$

사각형의 둘레가 54 cm이므로 $\square \times 6 = 54$, $\square = 9$입니다.

따라서 작은 원의 반지름은 **9** cm입니다.

6 나누어지는 부분이 많으려면 선분끼리 만나는 부분이 가장 많도록 선분을 그어야 합니다.

원 안에 선분을 1개씩 더 그어 규칙을 찾아봅니다.

선분의 수(개)	1	2	3	4	5	……
가장 많게 나눈 부분의 수(부분)	2	4	7	11	16	……

$+2 \quad +3 \quad +4 \quad +5$

선분의 수가 1, 2, 3, 4, 5……로 늘어날 때마다 가장 많게 나눈 부분의 수는 2, 3, 4, 5……씩 늘어나므로 직선 7개를 그어 원을 가장 많은 부분으로 나누면 $2+(2+3+4+5+6+7)=29$(부분)으로 나누어집니다.

해결 전략
선분의 수에 따라 가장 많게 나눈 부분의 수의 규칙을 찾아봅니다.

IV 수

3A에는 전체에 대한 부분의 의미인 진분수를 이용하여 사고력 주제를 학습하였다면 이번에는 가분수, 대분수로 분수를 확장하여 다양한 사고력 주제를 학습하게 됩니다.

9 분수의 크기에서는 진분수를 크기가 같은 분수로 만드는 방법과 같이 가분수, 대분수를 크기가 같은 분수로 만들고 다양한 문제에 적용해 봅니다.

크기가 같은 분수를 만드는 방법은 분수의 크기를 비교하거나 수 카드로 분수를 만들 때 알고 있어야 하는 원리이므로 반드시 숙지하도록 합니다.

10 분수의 활용에서는 앞에서 학습한 내용을 기초로 하여 조건에 맞는 분수, 규칙이 있는 분수, 분수 문장제를 차례로 다루며 분수를 다양하게 활용하는 방법을 학습합니다.

3A에 이어 분수에 관한 사고력 주제들이 비슷한 순서로 구성되어 있습니다. 그만큼 분수가 수학 학습에 매우 중요한 개념임을 강조하는 것이므로 3학년 때 분수의 의미만큼은 확실히 학습하기 바랍니다.

최상위 사고력 9 분수의 크기

9-1. 크기가 같은 분수   86~87쪽

1 (1) $\frac{1}{4}$, $\frac{2}{8}$ (2) $\frac{3}{8}$, $\frac{6}{16}$ (3) $\frac{1}{3}$, $\frac{2}{6}$, $\frac{3}{9}$ (4) $\frac{1}{2}$, $\frac{2}{4}$, $\frac{3}{6}$, $\frac{4}{8}$

최상위 사고력 A **31**   최상위 사고력 B **$\frac{17}{24}$**

저자 톡! 크기가 같은 분수는 전체에 대한 부분의 비가 같다는 뜻임을 알고, 크기가 같은 분수를 만드는 방법을 숙지하여 다양한 문제에 적용할 수 있어야 합니다.

---

1 (1)

 ➡ 전체를 똑같이 4로 나눈 것 중의 1이므로 $\frac{1}{4}$입니다.

 ➡ 전체를 똑같이 8로 나눈 것 중의 2이므로 $\frac{2}{8}$입니다.

따라서 색칠된 부분과 크기가 같은 분수를 분모가 가장 작은 수부터

2개 쓰면 $\frac{1}{4}$, $\frac{2}{8}$입니다.

(2)

 ➡ 전체를 똑같이 8로 나눈 것 중의 3이므로 $\frac{3}{8}$입니다.

 ➡ 전체를 똑같이 16으로 나눈 것 중의 6이므로 $\frac{6}{16}$입니다.

따라서 색칠된 부분과 크기가 같은 분수를 분모가 가장 작은 수부터

2개 쓰면 $\frac{3}{8}$, $\frac{6}{16}$입니다.

> **보충 개념**
>
> (1) $\frac{1}{4}\xlongequal[\times 2]{\times 2}\frac{2}{8}$
>
> (2) $\frac{3}{8}\xlongequal[\times 2]{\times 2}\frac{6}{16}$
>
> ➡ 분모와 분자에 0이 아닌 같은 수를 곱하면 크기가 같은 분수를 만들 수 있습니다.

(3)
 ➡ 색칠된 부분을 옮겨서 생각합니다.

 ➡ 전체를 똑같이 3으로 나눈 것 중의 1이므로 $\frac{1}{3}$입니다.

 ➡ 전체를 똑같이 6으로 나눈 것 중의 2이므로 $\frac{2}{6}$입니다.

 ➡ 전체를 똑같이 9로 나눈 것 중의 3이므로 $\frac{3}{9}$입니다.

따라서 색칠된 부분과 크기가 같은 분수를 분모가 가장 작은 수부터 3개 쓰면 $\frac{1}{3}$, $\frac{2}{6}$, $\frac{3}{9}$입니다.

(4)
 ➡ 색칠된 부분을 옮겨서 생각합니다.

 ➡ 전체를 똑같이 2로 나눈 것 중의 1이므로 $\frac{1}{2}$입니다.

 ➡ 전체를 똑같이 4로 나눈 것 중의 2이므로 $\frac{2}{4}$입니다.

 ➡ 전체를 똑같이 6으로 나눈 것 중의 3이므로 $\frac{3}{6}$입니다.

➡ 전체를 똑같이 8로 나눈 것 중의 4이므로 $\frac{4}{8}$입니다.

따라서 색칠된 부분과 크기가 같은 분수를 분모가 가장 작은 수부터 4개 쓰면 $\frac{1}{2}$, $\frac{2}{4}$, $\frac{3}{6}$, $\frac{4}{8}$입니다.

해결 전략
색칠된 부분을 옮겨서 색칠된 부분과 크기가 같은 분수를 분모가 작은 수부터 생각합니다.

보충 개념

(3) $\frac{1}{3} = \frac{2}{6} = \frac{3}{9}$

(4) $\frac{1}{2} = \frac{2}{4} = \frac{3}{6} = \frac{4}{8}$

➡ 분모와 분자에 0이 아닌 같은 수를 곱하면 크기가 같은 분수를 만들 수 있습니다.

최상위 사고력 A $\frac{5}{9}$의 분모와 분자의 차는 $9-5=4$입니다.

$\frac{9}{10}$와 크기가 같은 분수를 구하면 $\frac{9}{10} = \frac{18}{20} = \frac{27}{30} = \frac{36}{40} = \cdots\cdots$이고, 이 중에서 분모와 분자의 차가 4인 분수는 $\frac{36}{40}$입니다.

$\frac{5+\square}{9+\square} = \frac{36}{40}$이므로 $\square = 31$입니다.

따라서 분모와 분자에 더한 수는 31입니다.

해결 전략
분모와 분자에 같은 수를 더해도 분모와 분자의 차는 변하지 않습니다.

최상위 사고력 B

$$\frac{3}{4} = \frac{6}{8} = \frac{9}{12} = \frac{12}{16} = \frac{15}{20} = \frac{18}{24} = \cdots\cdots$$

$$\frac{2}{3} = \frac{4}{6} = \frac{6}{9} = \frac{8}{12} = \frac{10}{15} = \frac{12}{18} = \frac{14}{21} = \frac{16}{24} = \cdots\cdots$$

어떤 분수의 분자에 1을 더한 것과 1을 뺀 분자의 차는 2이고, 분모는

같으므로 어떤 분수의 분자에 1을 더하여 $\frac{18}{24}$ 을 만들고, 분자에서 1을

빼어 $\frac{16}{24}$ 을 만들었습니다.

따라서 어떤 분수는 $\frac{17}{24}$ 입니다.

해결 전략

어떤 분수의 분자에 1을 더한 분수와 크기가 같은 분수, 어떤 분수의 분자에서 1을 뺀 분수와 크기가 같은 분수를 분모가 작은 것부터 차례로 구합니다.

9-2. 분수의 크기 비교

88~89쪽

1 2개

최상위 사고력 $1\frac{13}{15},\ \frac{18}{10},\ \frac{19}{11},\ 1\frac{2}{5},\ 1\frac{1}{4}$

2

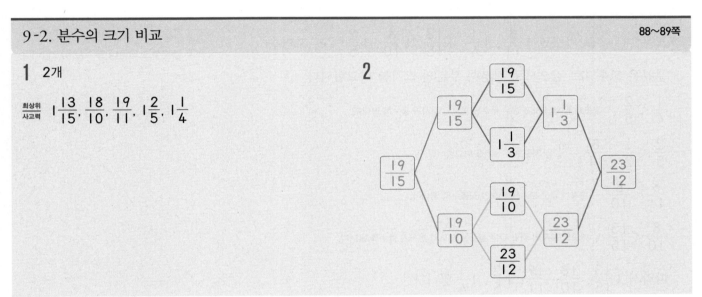

저자 톡! 분수의 크기를 비교하는 방법 중에 분모가 같을 때 분수의 크기를 비교하는 방법 이외에도 분자가 같을 때 비교하는 방법, $\frac{1}{2}$ 을 기준으로 비교하는 방법, 크기가 같은 분수로 바꾸어 비교하는 방법이 있습니다.

1 분모와 분자에 0이 아닌 같은 수를 곱하면 처음 분수와 크기가 같습니다.

$$\frac{2}{5} = \frac{2 \times 8}{5 \times 8} = \frac{16}{40}$$

분모와 분자에 같은 수를 더하면 처음 분수보다 큽니다.

$$\frac{2}{5} < \frac{2+3}{5+3} = \frac{5}{8},\ \frac{2}{5} = \frac{2 \times 10}{5 \times 10} = \frac{20}{50} < \frac{2 \times 10 + 1}{5 \times 10 + 1} = \frac{21}{51}$$

분모와 분자에서 같은 수를 빼면 처음 분수보다 작습니다.

$$\frac{2}{5} > \frac{2-1}{5-1} = \frac{1}{4},\ \frac{2}{5} = \frac{2 \times 7}{5 \times 7} = \frac{14}{35} > \frac{2 \times 7 - 3}{5 \times 7 - 3} = \frac{11}{32}$$

따라서 $\frac{2}{5}$ 보다 큰 것은 모두 2개입니다.

해결 전략

분모와 분자에 0이 아닌 같은 수를 곱하면 처음 분수와 크기가 같습니다.

$$\frac{2}{5} = \frac{2 \times 8}{5 \times 8} = \frac{2 \times 10}{5 \times 10} = \frac{2 \times 7}{5 \times 7}$$

2 ① 분모가 같은 분수로 만들어 비교합니다.

$$\frac{19}{15}=1\frac{4}{15}, \quad 1\frac{1}{3}=1\frac{1\times5}{3\times5}=1\frac{5}{15} \;\Rightarrow\; \frac{19}{15}<1\frac{1}{3}$$

② 분모와 분자의 차가 같은 분수는 분모와 분자가 클수록 큽니다.

$$\frac{19}{10}=1\frac{9}{10}, \quad \frac{23}{12}=1\frac{11}{12} \;\Rightarrow\; \frac{19}{10}<\frac{23}{12}$$

③ 분자가 같은 분수는 분모가 작을수록 큽니다.

$$\frac{19}{15}<\frac{19}{10}$$

④ $1\frac{1}{2}$을 기준으로 분수의 크기를 비교합니다.

$$\frac{23}{12}=1\frac{11}{12}, \quad 1\frac{1}{3}<1\frac{1}{2}<1\frac{11}{12} \;\Rightarrow\; 1\frac{1}{3}<\frac{23}{12}$$

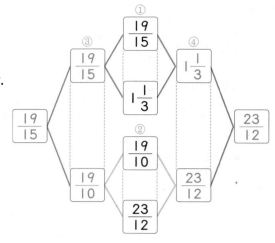

최상위 사고력 모두 대분수로 바꾸면 $1\frac{8}{11}$, $1\frac{1}{4}$, $1\frac{13}{15}$, $1\frac{8}{10}$, $1\frac{2}{5}$이고, 자연수 부분은 모두 1로 같으므로 진분수 부분의 크기를 비교합니다.

해결 전략
모두 대분수로 바꾸어 크기를 비교합니다.

$$\frac{1}{4}<\frac{2}{5}$$ ── 분모와 분자의 차가 같은 분수는 분모와 분자가 클수록 큽니다.

$$\frac{2}{5}<\frac{1}{2}<\frac{8}{11}$$ ── $\frac{1}{2}$을 기준으로 크기를 비교합니다.

$$\frac{8}{11}<\frac{8}{10}$$ ── 분자가 같은 분수는 분모가 작을수록 큽니다.

$$\frac{8}{10}<\frac{13}{15}$$ ── 분모와 분자의 차가 같은 분수는 분모와 분자가 클수록 큽니다.

따라서 $1\frac{13}{15}$, $1\frac{8}{10}$, $\frac{19}{11}$, $1\frac{2}{5}$, $1\frac{1}{4}$입니다.

9-3. 수 카드로 분수 만들기 90~91쪽

1 $\frac{8}{24}$, $\frac{87}{2}$, $8\frac{4}{5}$　　　　　　　　**2** 12개

최상위 사고력 $\frac{26}{3}$, $\frac{28}{3}$, $\frac{23}{6}$, $\frac{28}{6}$, $\frac{32}{6}$, $\frac{38}{6}$, $\frac{23}{8}$, $\frac{26}{8}$, $\frac{32}{8}$, $\frac{36}{8}$, $\frac{62}{8}$, $\frac{63}{8}$

저자 톡! 수 카드를 사용하여 조건에 맞는 분수를 만드는 내용입니다. 앞에서 배운 크기가 같은 분수, 분수의 크기 비교 방법이 이용되고 진분수, 가분수, 대분수의 의미를 정확히 알고 있어야 해결할 수 있는 문제들입니다.

1 • 가장 큰 진분수

진분수가 가장 크려면 분모는 가장 작은 두 자리 수, 분자는 가장 큰

한 자리 수이어야 하므로 $\dfrac{8}{24}$입니다.

• 가장 큰 가분수

가분수가 가장 크려면 분모는 가장 작은 한 자리 수, 분자는 가장 큰

두 자리 수이어야 하므로 $\dfrac{87}{2}$입니다.

• 가장 큰 대분수

대분수가 가장 크려면 자연수 부분이 가장 크고, 진분수 부분은 앞에서
사용한 수를 제외한 수로 만들 수 있는 가장 큰 진분수여야 합니다.

자연수는 8이 가장 크고, 진분수는 $\dfrac{5}{7}$, $\dfrac{4}{5}$, $\dfrac{2}{4}$가 될 수 있습니다.

$\dfrac{4}{5}=\dfrac{28}{35}>\dfrac{25}{35}=\dfrac{5}{7}>\dfrac{2}{4}$이므로 $8\dfrac{4}{5}$입니다.

해결 전략
수 카드 3장으로 분수를 만들면

진분수는 $\dfrac{\square}{\square\square}$,

가분수는 $\dfrac{\square\square}{\square}$,

대분수는 $\square\dfrac{\square}{\square}$ 형태입니다.

2 • 자연수 부분이 2인 경우: $2\dfrac{6}{7}$, $2\dfrac{6}{9}$, $2\dfrac{7}{9}$ ➡ 3개

• 자연수 부분이 6인 경우: $6\dfrac{2}{7}$, $6\dfrac{2}{9}$, $6\dfrac{7}{9}$ ➡ 3개

• 자연수 부분이 7인 경우: $7\dfrac{2}{6}$, $7\dfrac{2}{9}$, $7\dfrac{6}{9}$ ➡ 3개

• 자연수 부분이 9인 경우: $9\dfrac{2}{6}$, $9\dfrac{2}{7}$, $9\dfrac{6}{7}$ ➡ 3개

따라서 만들 수 있는 대분수는 모두 3+3+3+3=12(개)입니다.

해결 전략
수 카드 3장으로 대분수를 만들어야 하므로

$\square\dfrac{\square}{\square}$ 형태이고, 자연수 부분에 넣을 수 있
는 수에 따라 나누어 구합니다.

최상위 사고력 수 카드 3장으로 만들 수 있는 가분수는 $\dfrac{\square\square}{\square}$ 형태이므로 분모가

2, 3, 6, 8인 경우로 나누어 구합니다.

• 분모가 2인 경우: 2×10=20이므로 주어진 수 카드로 만들 수 있
는 10보다 작은 가분수는 없습니다.

• 분모가 3인 경우: 3×10=30이므로 주어진 수 카드로 만들 수 있
는 10보다 작은 가분수는 $\dfrac{26}{3}$, $\dfrac{28}{3}$입니다.

• 분모가 6인 경우: 6×10=60이므로 주어진 수 카드로 만들 수 있
는 10보다 작은 가분수는 $\dfrac{23}{6}$, $\dfrac{28}{6}$, $\dfrac{32}{6}$, $\dfrac{38}{6}$입니다.

• 분모가 8인 경우: 8×10=80이므로 주어진 수 카드로 만들 수 있
는 10보다 작은 가분수는 $\dfrac{23}{8}$, $\dfrac{26}{8}$, $\dfrac{32}{8}$, $\dfrac{36}{8}$, $\dfrac{62}{8}$, $\dfrac{63}{8}$입니다.

해결 전략
가분수가 10보다 작으려면 분자가 분모의
10배보다 작아야 합니다.

1 $\dfrac{2}{3}$, $\dfrac{3}{4}$

2 10개

3 20개

4 24개

---

1 분모가 1, 2, 3, 4인 경우로 나누어 구합니다.

- 분모가 3인 경우: $\dfrac{2}{3}$

- 분모가 4인 경우: $\dfrac{3}{4}$

분모가 1과 2인 경우에는 주어진 수 카드로 $\dfrac{1}{2}$보다 크고 1보다 작은 분수를 만들 수 없습니다.

따라서 $\dfrac{1}{2}$보다 크고 1보다 작은 분수는 $\dfrac{2}{3}$, $\dfrac{3}{4}$입니다.

> **해결 전략**
> $\dfrac{1}{2}$보다 큰 분수는 분모가 분자의 2배보다 작고, 1보다 작은 분수는 분모가 분자보다 큽니다.

2 분모가 5인 분수 중 $6\dfrac{1}{2}$과 $\dfrac{60}{7}$ 사이에 들어갈 수 있는 가장 작은 수와 가장 큰 수를 구합니다.

$6\dfrac{2}{5} < 6\dfrac{1}{2}\left(=6\dfrac{3}{6}\right) < 6\dfrac{3}{5} = \dfrac{33}{5}$이므로 가장 작은 수는 $\dfrac{33}{5}$이고,

$8\dfrac{2}{5} < \dfrac{60}{7}\left(=8\dfrac{4}{7}=8\dfrac{20}{35}\right) < 8\dfrac{3}{5}\left(=8\dfrac{21}{35}\right)$이므로 가장 큰 수는

$\dfrac{42}{5}\left(=8\dfrac{2}{5}\right)$입니다.

따라서 □ 안에 들어갈 수 있는 수는 33부터 42까지이므로 모두 10개입니다.

> **보충 개념**
> - 분자가 같은 분수는 분모가 작을수록 큽니다.
> $6\dfrac{1}{2}=6\dfrac{3}{6}<6\dfrac{3}{5}$
> - 분모와 분자의 차가 같은 분수는 분모와 분자가 클수록 큽니다.
> $\dfrac{60}{7}=8\dfrac{4}{7}>8\dfrac{2}{5}$
> - 분모가 같은 분수는 분자가 클수록 큽니다.
> $\dfrac{60}{7}=8\dfrac{4}{7}=8\dfrac{20}{35}<8\dfrac{21}{35}=8\dfrac{3}{5}$

> **지도 가이드**
> 문제 해결에 어려움을 갖는 학생들에게는 대분수로 통일하여 나타낸 후 분수의 크기를 비교하도록 지도합니다.

3 5보다 작은 가분수는 분자가 분모와 같거나, 분모보다 크고 분모의 5배보다 작습니다.

이 중에서 분모가 5인 분수는 $\dfrac{5}{5}$, $\dfrac{6}{5}$, $\dfrac{7}{5}$, $\dfrac{8}{5}$ …… $\dfrac{24}{5}$이므로 조건에 맞는 수는 $24-4=20$(개)입니다.

4 분모가 1, 2, 3, 4, 5인 경우로 나누어 가분수를 구한 후 크기가 같은
분수는 제외합니다.

- 분모가 1인 경우: $\dfrac{1}{1}$, $\dfrac{2}{1}$, $\dfrac{3}{1}$, $\dfrac{4}{1}$, $\dfrac{5}{1}$, $\dfrac{6}{1}$, $\dfrac{7}{1}$, $\dfrac{8}{1}$, $\dfrac{9}{1}$ ➡ 9개

- 분모가 2인 경우: $\dfrac{\cancel{2}}{2}$, $\dfrac{3}{2}$, $\dfrac{\cancel{4}}{2}$, $\dfrac{5}{2}$, $\dfrac{\cancel{6}}{2}$, $\dfrac{7}{2}$, $\dfrac{\cancel{8}}{2}$, $\dfrac{9}{2}$ ➡ 4개

- 분모가 3인 경우: $\dfrac{\cancel{3}}{3}$, $\dfrac{4}{3}$, $\dfrac{5}{3}$, $\dfrac{\cancel{6}}{3}$, $\dfrac{7}{3}$, $\dfrac{8}{3}$, $\dfrac{\cancel{9}}{3}$ ➡ 4개

- 분모가 4인 경우: $\dfrac{\cancel{4}}{4}$, $\dfrac{5}{4}$, $\dfrac{\cancel{6}}{4}$, $\dfrac{7}{4}$, $\dfrac{\cancel{8}}{4}$, $\dfrac{9}{4}$ ➡ 3개

- 분모가 5인 경우: $\dfrac{5}{5}$, $\dfrac{6}{5}$, $\dfrac{7}{5}$, $\dfrac{8}{5}$, $\dfrac{9}{5}$ ➡ 4개

따라서 수직선에 표시되는 서로 다른 점은 모두
$9+4+4+3+4=24$(개)입니다.

보충 개념

$1=\dfrac{1}{1}=\dfrac{2}{2}=\dfrac{3}{3}=\dfrac{4}{4}=\dfrac{5}{5}$

$2=\dfrac{2}{1}=\dfrac{4}{2}=\dfrac{6}{3}=\dfrac{8}{4}$

$3=\dfrac{3}{1}=\dfrac{6}{2}=\dfrac{9}{3}$

$4=\dfrac{4}{1}=\dfrac{8}{2}$

$\dfrac{3}{2}=\dfrac{6}{4}$

최상위 사고력 **10** **분수의 활용**

10-1. 조건에 맞는 분수

94~95쪽

1

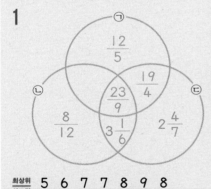

최상위
사고력
A $\dfrac{5}{3}$, $\dfrac{6}{4}$, $\dfrac{7}{4}$, $\dfrac{7}{5}$, $\dfrac{8}{5}$, $\dfrac{9}{5}$, $\dfrac{8}{6}$

최상위
사고력
B $\dfrac{52}{9}$

저자 톡! 조건이 여러 개 있을 때 조건에 맞는 분수를 찾는 내용입니다. 조건에 맞는 자연수를 찾는 것과 같이 가장 먼저 이용해야 하는 조건
을 찾아 문제를 해결하도록 합니다.

1 ㉠, ㉡, ㉢에 맞는 수를 각각 구한 후 원이 겹치는 곳에는 조건에 맞는
분수를 써넣습니다.

- ㉠에 맞는 수: $\dfrac{12}{5}$, $\dfrac{23}{9}$, $\dfrac{19}{4}$

- ㉡에 맞는 수: $\dfrac{8}{12}$, $\dfrac{23}{9}$, $3\dfrac{1}{6}$

- ㉢에 맞는 수: $2\dfrac{4}{7}$, $\dfrac{23}{9}$, $\dfrac{19}{4}$, $3\dfrac{1}{6}$

보충 개념

색칠한 곳에는 가분수이고, 분모가 3으로
나누어떨어지는 분수가, 빗금친 곳에는 세
조건에 맞는 분수가 들어갑니다.

ⓒ에 맞는 분수를 분모가 1, 2, 3, 4……인 경우로 나누어 구한 후 ㉠과 ㉢에 맞는 분수를 구합니다.

보충 개념

분모가 1과 2인 경우와 6보다 큰 수에는 조건에 맞는 분수가 없습니다.

- $\frac{3}{3}<\frac{\square}{3}<\frac{6}{3}$인 경우 ➡ $\frac{5}{3}$

- $\frac{4}{4}<\frac{\square}{4}<\frac{8}{4}$인 경우 ➡ $\frac{6}{4}, \frac{7}{4}$

- $\frac{5}{5}<\frac{\square}{5}<\frac{10}{5}$인 경우 ➡ $\frac{7}{5}, \frac{8}{5}, \frac{9}{5}$

- $\frac{6}{6}<\frac{\square}{6}<\frac{12}{6}$인 경우 ➡ $\frac{8}{6}$

따라서 조건에 맞는 분수는 $\frac{5}{3}, \frac{6}{4}, \frac{7}{4}, \frac{7}{5}, \frac{8}{5}, \frac{9}{5}, \frac{8}{6}$입니다.

- 분모가 8인 경우: $\frac{8\times5+7}{8}=\frac{47}{8}$ ➡ 분모와 분자의 차는 39입니다.

- 분모가 9인 경우: $\frac{9\times5+7}{9}=\frac{52}{9}$ ➡ 분모와 분자의 차는 43입니다.

따라서 구하는 분수는 $\frac{52}{9}$입니다.

해결 전략

분자를 분모로 나누었을 때 나머지가 7이므로 분모는 나머지 7보다 큰 수입니다.

다른 풀이

구하는 분수를 $\frac{▲}{■}$라고 하면 ▲÷■=5…7입니다. ▲=■×5+7이고,

▲−■=43이므로 ■×5+7−■=43, ■×4=36,

■=9 ➡ ▲=9×5+7=45+7=52입니다.

따라서 구하는 분수는 $\frac{52}{9}$입니다.

10-2. 규칙과 분수

96~97쪽

1 (1) $\frac{18}{20}$ (2) $2\frac{5}{8}$ (3) $\frac{34}{55}$ 2 $\frac{5}{7}$ 최상위 사고력 10번째, 8

저자 톡! 일정하게 나열된 분수에서 규칙을 찾아 몇 번째 분수를 구하는 내용입니다. 규칙을 찾기 어려운 경우 진분수, 가분수, 대분수의 같은 형태로 바꾸어 보며 문제를 해결하도록 합니다.

1 (1) 분모는 3씩 커지고, 분자는 2씩 작아지는 규칙입니다.

(2) 대분수를 가분수로 바꾸면 분자가 3씩 커지고, 짝수 번째에는 대분수가 나오는 규칙입니다.

$\frac{6}{8}, \frac{9}{8}\left(=1\frac{1}{8}\right), \frac{12}{8}, \frac{15}{8}\left(=1\frac{7}{8}\right), \frac{18}{8}, \frac{21}{8}\left(=2\frac{5}{8}\right), \frac{24}{8}, \frac{27}{8}\left(=3\frac{3}{8}\right)$

(3) 분자는 분자끼리, 분모는 분모끼리 생각할 때 앞의 두 수의 합이
  다음 수가 되는 규칙입니다.

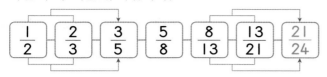

2 $\left(\dfrac{1}{2}\right)$, $\left(\dfrac{1}{3}, \dfrac{2}{2}\right)$, $\left(\dfrac{1}{4}, \dfrac{2}{3}, \dfrac{3}{2}\right)$ ......

묶음의 순서	1	2	3	......
묶음 안의 분모와 분자의 합	3	4	5	......
묶음 안의 수의 개수	1	2	3	......
묶음 안의 첫 번째 수	$\dfrac{1}{2}$	$\dfrac{1}{3}$	$\dfrac{1}{4}$	......

해결 전략
분모와 분자의 합이 같은 것끼리 묶어서
생각합니다.

$1+2+3+4+\cdots\cdots+9=45$이므로 9번째 묶음까지 45개의 수가

나오고, 10번째 묶음의 5번째에 50번째 수가 나옵니다.

따라서 10번째 묶음의 분수는 분모와 분자의 합이 12이고, 첫 번째

수가 $\dfrac{1}{11}$이므로 10번째 묶음의 5번째 수는 $\dfrac{5}{7}$입니다.

최상위 사고력 $\dfrac{2}{18}$, $\dfrac{3}{18}$, $\dfrac{5}{18}$, $\dfrac{8}{18}$, $\dfrac{13}{18}$, $\dfrac{21}{18}$ ......

해결 전략
모든 분수를 분모가 18인 가분수로 바꾸어
규칙을 찾습니다.

분자는 앞의 두 분수의 분자의 합인 규칙입니다.

규칙에 맞게 분수를 이어서 쓰면

$\dfrac{2}{18}$, $\dfrac{3}{18}$, $\dfrac{5}{18}$, $\dfrac{8}{18}$, $\dfrac{13}{18}$, $\dfrac{21}{18}$, $\dfrac{34}{18}$, $\dfrac{55}{18}$, $\dfrac{89}{18}$, $\dfrac{144}{18}(=8)$ ......

이므로 10번째에 처음으로 자연수 8이 나옵니다.

10-3. 분수 문장제

98~99쪽

1 17일째

2 1100 g

최상위 사고력 A 32쪽

최상위 사고력 B 48권

저자 톡! 지금까지 학습한 분수의 의미와 분수의 크기 비교를 바탕으로 분수를 이용한 다양한 상황을 문장으로 제시하여 문제를 해결하는 내
용입니다. 문장을 직접 이해하기보다 그림을 그려 문제 해결의 실마리를 찾도록 합니다.

1 20일째 $\xrightarrow{\text{(1일 전)}}$ 19일째 $\xrightarrow{\text{(1일 전)}}$ 18일째 $\xrightarrow{\text{(1일 전)}}$ 17일째
  (1)　　　　　　　　　$\left(\dfrac{1}{2}\right)$　　　　　　　　$\left(\dfrac{1}{4}\right)$　　　　　　　　$\left(\dfrac{1}{8}\right)$

해결 전략
연못이 개구리밥으로 완전히 덮였을 때를 1
이라고 하여 거꾸로 생각하여 구합니다.

따라서 개구리밥으로 연못의 $\dfrac{1}{8}$을 덮었을 때는 17일째입니다.

2 컵에 물을 $\frac{1}{2}$만큼 채운 뒤 무게를 재면 800g이고,

물을 가득 채운 뒤 무게를 재면 1400g이므로

컵에 $\frac{1}{2}$만큼 채운 물의 무게는 1400−800=600(g)입니다.

해결 전략

물을 가득 채운 컵의 무게에서 물을 $\frac{1}{2}$만큼

채운 컵의 무게를 빼면 컵에 $\frac{1}{2}$만큼 채운

물의 무게를 구할 수 있습니다.

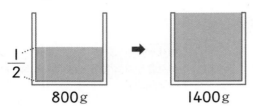

컵에 가득 채운 물의 무게는 600+600=1200(g)이므로
컵의 무게는 1400−1200=200(g)입니다.

이 컵에 물을 $\frac{3}{4}$만큼 채운 물의 무게는

1200÷4×3=900(g)이므로
컵과 물의 무게는 200+900=1100(g)입니다.

최상위 사고력 A

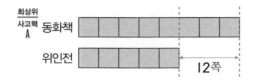

해결 전략

동화책의 $\frac{2}{8}$와 위인전의 $\frac{2}{5}$의 쪽수가 같

으므로 두 책의 쪽수를 그림으로 그려 구합

니다.

막대를 8칸으로 똑같이 나눈 것 중에 3칸이 12쪽을 나타내므로 1칸은
12÷3=4(쪽)입니다.
따라서 동화책은 모두 4×8=32(쪽)입니다.

최상위 사고력 B

① 미호는 가지고 있던 공책의 $\frac{2}{3}$보다 6권을 더 동생에게 주었습니다.

해결 전략

미호가 처음 가지고 있던 공책의 수를 그림

으로 그려 구합니다.

② 남은 공책의 $\frac{3}{5}$보다 4권을 더 언니에게 주었더니 공책이 남지 않

았습니다.

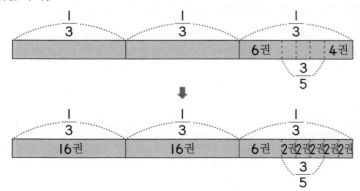

따라서 미호가 처음 가지고 있던 공책은 모두 16×3=48(권)입니다.

1 $\dfrac{5}{2}$, $\dfrac{7}{3}$, $\dfrac{8}{3}$, $\dfrac{9}{4}$

2 22번째

3 18개

4 80 cm

---

1 ⓒ에 맞는 분수를 분모가 1, 2, 3, 4……인 경우로 나누어 구한 후 ⓐ과 ⓑ에 맞는 분수를 구합니다.

분모가 1인 경우에는 조건에 맞는 분수가 없습니다.

- $\dfrac{4}{2} < \dfrac{\square}{2} < \dfrac{6}{2}$인 경우 ➡ $\dfrac{5}{2}$

- $\dfrac{6}{3} < \dfrac{\square}{3} < \dfrac{9}{3}$인 경우 ➡ $\dfrac{7}{3}$, $\dfrac{8}{3}$

- $\dfrac{8}{4} < \dfrac{\square}{4} < \dfrac{12}{4}$인 경우 ➡ $\dfrac{9}{4}$

분모가 4보다 큰 경우에는 ⓒ에 맞는 분수가 없습니다.

따라서 조건에 맞는 분수는 $\dfrac{5}{2}$, $\dfrac{7}{3}$, $\dfrac{8}{3}$, $\dfrac{9}{4}$입니다.

2 분모는 2씩 커지고, 분자는 4씩 커지는 규칙이므로 분모와 분자의 합은 첫 번째 분수 $\dfrac{2}{3}$의 분모와 분자의 합 5에서부터 6씩 커집니다.

분모와 분자의 합으로 수를 놓으면 5, 11, 17, 23, 29……이므로 10번째 수는 59, 20번째 수는 119입니다.

따라서 22번째 수가 131이므로 분모와 분자의 합이 131이 되는 분수는 22번째입니다.

> **보충 개념**
> 5, 11, 17, 23, 29……
> 10번째 수: 5+6×9=5+54=59
> 20번째 수: 5+6×19=5+114=119
> 따라서 119+6+6=131이므로 131은 22번째 수입니다.

3 그림을 그려 거꾸로 생각하여 풀어 봅니다.

따라서 승희가 처음에 가지고 있던 사탕은 18개입니다.

4 ⓐ 막대를 8칸으로 똑같이 나눈 것 중에 5칸이 2 m 이고, 2 m=200 cm이므로

1칸은 200÷5=40(cm)입니다.

수영장의 물의 깊이는 8칸 중 2칸의 길이와 같으므로

40×2=80(cm)입니다.

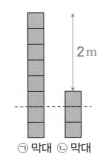

> **해결 전략**
> ⓐ 막대는 전체 길이의 $\dfrac{1}{4}$, ⓑ 막대는 전체 길이의 $\dfrac{2}{3}$가 물속에 잠겼으므로 그림을 그려 생각합니다.

1 8개

2 $11\dfrac{7}{9}$

3 $\dfrac{16}{5}$, $\dfrac{19}{6}$, $2\dfrac{7}{9}$, $\dfrac{22}{8}$, $2\dfrac{1}{4}$

4 $\dfrac{4}{9}$, $\dfrac{5}{11}$, $\dfrac{6}{13}$

5 $9\dfrac{3}{4}$, $3\dfrac{4}{8}$

6 32개

---

1 $\dfrac{10}{8}=\dfrac{5}{4}$ 이므로 $\dfrac{5}{4}$ 의 분모와 분자에 50이 넘지 않도록 0이 아닌 같은 수를 곱하여 크기가 같은 분수를 만듭니다.

$$\dfrac{5}{4}=\dfrac{5\times3}{4\times3}=\dfrac{5\times4}{4\times4}=\cdots\cdots=\dfrac{5\times9}{4\times9}$$

➡ $\dfrac{5}{4}=\dfrac{15}{12}=\dfrac{20}{16}=\dfrac{25}{20}=\dfrac{30}{24}=\dfrac{35}{28}=\dfrac{40}{32}=\dfrac{45}{36}$

따라서 $\dfrac{10}{8}$ 과 크기가 같은 분수는 모두 8개입니다.

> **보충 개념**
> 분모와 분자를 0이 아닌 같은 수로 나누면 처음 분수와 크기가 같습니다.
> $$\dfrac{10}{8}=\dfrac{10\div2}{8\div2}=\dfrac{5}{4}$$

2 대분수를 가분수로 고쳐서 생각합니다.

$$\dfrac{8}{9},\ \dfrac{10}{9},\ \dfrac{12}{9},\ \dfrac{14}{9},\ \dfrac{16}{9},\ \dfrac{18}{9},\ \dfrac{20}{9},\ \dfrac{22}{9},\ \dfrac{24}{9},\ \dfrac{26}{9}\cdots\cdots$$

분모는 9로 모두 같고 분자는 2씩 커지며, 짝수 번째에는 대분수로 나타내는 규칙입니다.

10번째에 놓이는 분수가 $\dfrac{26}{9}$ 이므로 20번째에는 $\dfrac{46}{9}$, 30번째에는 $\dfrac{66}{9}$, 40번째에는 $\dfrac{86}{9}$, 50번째에는 $\dfrac{106}{9}$ 이 놓입니다.

따라서 50번째에 놓이는 분수는 $\dfrac{106}{9}=11\dfrac{7}{9}$ 입니다.

> **주의**
> 짝수 번째에는 대분수가 나오므로 50번째에 놓이는 분수는 대분수로 나타내야 합니다.

3 가분수를 대분수로 고쳐서 생각합니다.

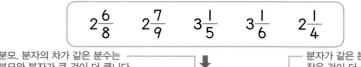

$$2\dfrac{6}{8}\qquad 2\dfrac{7}{9}\qquad 3\dfrac{1}{5}\qquad 3\dfrac{1}{6}\qquad 2\dfrac{1}{4}$$

분모, 분자의 차가 같은 분수는 분모와 분자가 큰 것이 더 큽니다.

분자가 같은 분수는 분모가 작은 것이 더 큽니다.

$$2\dfrac{1}{4}<2\dfrac{1}{2}<2\dfrac{6}{8}<2\dfrac{7}{9}<3\dfrac{1}{6}<3\dfrac{1}{5}$$

$2\dfrac{1}{2}$ 을 기준으로 비교합니다.

자연수 부분이 큰 대분수가 더 큽니다.

따라서 큰 수부터 차례로 쓰면 $\dfrac{16}{5}$, $\dfrac{19}{6}$, $2\dfrac{7}{9}$, $\dfrac{22}{8}$, $2\dfrac{1}{4}$ 입니다.

4 ©에 맞는 분수를 분자가 1, 2, 3, 4······인 경우로 나누어 구합니다.
분자가 1인 경우는 ©에 맞는 분수가 없습니다.

$$\frac{2}{2\times 2+1}=\frac{2}{5}, \quad \frac{3}{3\times 2+1}=\frac{3}{7}, \quad \frac{4}{4\times 2+1}=\frac{4}{9},$$

$$\frac{5}{5\times 2+1}=\frac{5}{11}, \quad \frac{6}{6\times 2+1}=\frac{6}{13}, \quad \frac{7}{7\times 2+1}=\frac{7}{15},$$

$$\frac{8}{8\times 2+1}=\frac{8}{17}······$$

이 중에서 ㉠에 맞는 분수는 $\frac{4}{9}$, $\frac{5}{11}$, $\frac{6}{13}$입니다.

5 대분수가 가장 크려면 자연수 부분에 가장 큰 수인 9를 놓은 후 분모가 4, 5, 8인 분수로 나누어 진분수의 크기를 비교합니다.

해결 전략
수 카드 3장으로 대분수를 만들어야 하므로
$\square\dfrac{\square}{\square}$ 형태이고, 자연수 부분에 놓을 수 있는 수에 따라 경우를 나누어 구합니다.

분모가 4, 5, 8인 분수는 $\frac{3}{4}$, $\frac{3}{5}$, $\frac{4}{5}$, $\frac{3}{8}$, $\frac{4}{8}$, $\frac{5}{8}$이고,

$$\frac{4}{5}>\frac{3}{4}>\frac{3}{5}\left(=\frac{24}{40}\right)>\frac{5}{8}\left(=\frac{25}{40}\right)>\frac{4}{8}>\frac{3}{8}$$ 이므로

두 번째로 큰 대분수는 $9\frac{3}{4}$입니다.

대분수가 가장 작으려면 자연수 부분에 가장 작은 수인 3을 놓은 후 분모가 5, 8, 9인 분수로 나누어 진분수의 크기를 비교합니다.

분모가 5, 8, 9인 분수는 $\frac{4}{5}$, $\frac{4}{8}$, $\frac{5}{8}$, $\frac{4}{9}$, $\frac{5}{9}$, $\frac{8}{9}$이고,

$$\frac{4}{9}<\frac{4}{8}\left(=\frac{1}{2}\right)<\frac{5}{9}<\frac{5}{8}\left(=\frac{25}{40}\right)<\frac{4}{5}\left(=\frac{32}{40}\right)<\frac{8}{9}$$ 이므로

두 번째로 작은 대분수는 $3\frac{4}{8}$입니다.

6 그림을 그려 거꾸로 생각하여 풀어 봅니다.

따라서 처음에 있던 사과는 32개입니다.

V 측정

이번 단원에서는 무게에 관한 두 가지 주제와 들이에 관한 한 가지 주제를 다루게 됩니다.

실생활에서 무게를 잴 수 있는 측정 도구 중에는 윗접시저울과 눈금저울이 있는데 **11** 무게 재기에서는 이 두 가지 도구의 기본적인 원리에 중점을 둔 주제들을 학습합니다. 먼저 윗접시저울이 평형을 이룰 때 주어진 추로 잴 수 있는 무게를 모두 구해 보고, 등식의 성질을 이용하여 특정한 물건의 무게를 구합니다. 이어서 눈금저울과 등식의 성질을 이용하여 물건의 무게를 구합니다. 여기에서 등식의 성질은 윗접시저울을 사용하여 이해하고 형식화하지 않도록 합니다.

12 무게의 응용에서는 무게가 똑같이 나누어지는 원리를 이용한 모빌에서 추의 무게 구하기, 기울어진 윗접시저울을 보고 무게의 순서 정하기, 여러 개의 금화 중에서 가짜 금화 찾기를 학습합니다.

13 들이 재기에서는 눈금이 지워진 여러 개의 그릇을 사용하여 특정한 들이를 효율적으로 만드는 방법을 학습합니다.

최상위 사고력 **11** | **무게 재기**

11-1. 윗접시저울로 잴 수 있는 무게
106~107쪽

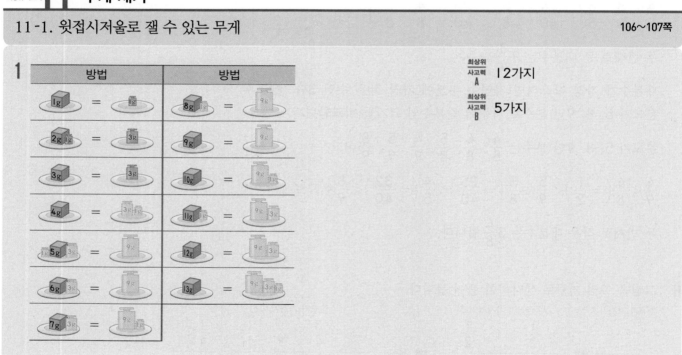

1

최상위 사고력 A **12가지**

최상위 사고력 B **5가지**

저자 톡! 윗접시저울과 주어진 추로 잴 수 있는 무게의 가짓수를 구하는 내용입니다. 무게를 빠짐없이 재기 위한 방법에 중점을 두어 학습하도록 합니다.

1

무게	방법	무게	방법
1g	1	8g	9−1
2g	3−1	9g	9
3g	3	10g	9+1
4g	3+1	11g	9+3−1
5g	9−3−1	12g	9+3
6g	9−3	13g	9+3+1
7g	9+1−3		

해결 전략
추를 오른쪽 접시에 놓으면 덧셈으로, 왼쪽 접시에 놓으면 뺄셈으로 계산하여 1g부터 13g까지 차례로 찾습니다.

최상위 사고력 A 잴 수 있는 가장 무거운 무게는 추 4개를 모두 한쪽에만 놓았을 때 $8+8+3+3=22(g)$이므로 1g부터 22g까지 잴 수 있는 무게를 찾아봅니다.

무게	방법	무게	방법
1g	×	12g	×
2g	$8-3-3$	13g	$8+8-3$
3g	3	14g	$8+3+3$
4g	×	15g	×
5g	$8-3$	16g	$8+8$
6g	$3+3$	17g	×
7g	×	18g	×
8g	8	19g	$8+8+3$
9g	×	20g	×
10g	$8+8-3-3$	21g	×
11g	$8+3$	22g	$8+8+3+3$

따라서 잴 수 있는 무게는 모두 12가지입니다.

최상위 사고력 B
• 5g, 35g짜리 추를 한 개도 사용하지 않는 경우

$40+30-10=60(g)$

➡ 1가지

• 5g, 35g짜리 추를 모두 사용하는 경우

$35+30-5=60(g)$

$35+30+5-10=60(g)$

$40+35-10-5=60(g)$

$40+35+10+5-30=60(g)$

➡ 4가지

따라서 60g인 물건을 재는 방법은 모두 $1+4=5$(가지)입니다.

11-2. 윗접시저울로 무게 재기

108~109쪽

1 150g

2 250g, 200g, 300g

최상위 사고력 28g, 14g, 60g, 8g

저자 톡! 윗접시저울의 양쪽 접시에 올려진 물건과 무게를 알 수 있는 추를 사용하여 물건의 무게를 구하는 내용입니다. 윗접시저울이 평형을 유지되도록 물건을 내려놓기, 올리기, 바꾸어놓기 등으로 다양하게 변형하여 물건의 무게를 구합니다.

1 첫 번째 저울: ●●●●＝●●＋90, ●●＝90,
　　　　　　　●＝90÷2＝45(g)

　　두 번째 저울: ●●＝■■■, 45＋45＝■■■, 90＝■■■,
　　　　　　　■＝90÷3＝30(g)

　　세 번째 저울: ▲＝■■■■■, ▲＝30×5＝150(g)

　　따라서 ▲의 무게는 150g입니다.

해결 전략
같은 모양은 무게가 같으므로 같은 수만큼
덜어내어 생각합니다.

2 첫 번째 저울: (사과 1개의 무게)＋(바나나 1개의 무게)＋(배 1개의 무게)
　　　　　　　　＝350＋400＝750(g)　　　　　…… ①

　　두 번째 저울: (사과 2개의 무게)＝300＋(바나나 1개의 무게)　…… ②

　　세 번째 저울: (사과 1개의 무게)＋(배 1개의 무게)＝550g　…… ③

　　①의 식에 ③의 식을 넣으면

　　(바나나 1개의 무게)＋550＝750(g)이므로

　　(바나나 1개의 무게)＝750－550＝200(g)입니다.

　　②의 식에서 (사과 2개의 무게)＝300＋200＝500(g)이므로

　　(사과 1개의 무게)＝500÷2＝250(g)입니다.

　　③의 식에서 250＋(배 1개의 무게)＝550(g)이므로

　　(배 1개의 무게)＝550－250＝300(g)입니다.

해결 전략
첫 번째 저울과 세 번째 저울을 이용하여
바나나 1개의 무게를 먼저 구합니다.

최상위 사고력 첫 번째 저울: ㉡＝㉣＋6　　　　　　　…… ①

　　두 번째 저울: ㉡＋㉡＋㉢＝㉠＋㉢, ㉠＝㉡＋㉡　…… ②

　　세 번째 저울: ㉠＋㉠＋4＝㉢　　　　　…… ③

　　①의 양쪽에 ㉠을 1개씩 놓아도 평형이므로 ㉠＋㉡＝㉠＋㉣＋6이고,

　　㉠＋㉣＝36g이므로 ㉠＋㉡＝36＋6＝42(g)입니다.

　　이 식에 ②의 식을 넣으면

　　㉡＋㉡＋㉡＝42g, ㉡×3＝42(g), ㉡＝42÷3＝14(g)입니다.

　　㉠＋㉡＝42g이므로 ㉠＋㉡＝㉠＋14＝42(g), ㉠＝28g입니다.

　　㉠＝28g을 ③의 식에 넣으면

　　㉠＋㉠＋4＝㉢, 28＋28＋4＝㉢, ㉢＝60g입니다.

　　㉠＝28g을 ㉠＋㉣＝36g에 넣으면 28＋㉣＝36(g), ㉣＝8g입니다.

　　따라서 ㉠, ㉡, ㉢, ㉣의 무게를 차례로 쓰면 28g, 14g, 60g, 8g입니다.

보충 개념
평형인 저울에서 양쪽에 같은 무게를 더해도
평형이 됩니다.

11-3. 여러 가지 저울로 무게 재기

110~111쪽

1 (1) 9　(2) 8

2 160g, 80g, 140g

최상위 사고력 400g

저자 톡! 평형인 윗접시저울을 등식으로 나타낼 수 있었던 것과 같이 눈금저울을 등식으로 나타내어 물건의 무게를 구하는 내용입니다.

1 (1) 첫 번째 저울: ■■▲●●●=69

　　두 번째 저울: ⌜■■▲●●●⌝●●=87
　　　　　　　　　　　　└─69─┘

　　●●=87−69=18, ●=18÷2=9(g)

(2) 두 번째 저울: ▲▲▲■■●●=56

　　첫 번째 저울: ■■■⌜■■●●▲▲▲⌝=80
　　　　　　　　　　　└──56──┘

　　■■■=80−56=24, ■=24÷3=8(g)

해결 전략
첫 번째 저울에 있는 모양이 두 번째 저울에도 같은 수만큼 있으므로 이 무게를 이용합니다.

2 첫 번째 저울과 두 번째 저울을 비교해 보면 오이가 가지보다 60g 더 무겁습니다.

세 번째 저울에서

(가지 1개의 무게)+(오이 1개의 무게)=220g이므로

(가지 1개의 무게)+(가지 1개의 무게)+60=220(g),

(가지 2개의 무게)=160g,

(가지 1개의 무게)=160÷2=80(g)입니다.

따라서 세 번째 저울에서 (오이 1개의 무게)=220−80=140(g)이고,

두 번째 저울에서 (당근 1개의 무게)=300−140=160(g)입니다.

해결 전략
첫 번째 저울에 있는 당근이 두 번째 저울에도 있으므로 이 무게를 이용합니다.

최상위 사고력

 + [저울][저울] =4kg 600g

 + [저울] =2kg 900g

보충 개념
$$\begin{array}{r} 3 \quad 1000 \\ \cancel{4}\,\text{kg}\ 600\,\text{g} \\ -\ 2\,\text{kg}\ 900\,\text{g} \\ \hline 1\,\text{kg}\ 700\,\text{g} \end{array}$$

저울 1개의 무게는 4kg 600g−2kg 900g=1kg 700g입니다.

(감자 3개의 무게)+(저울 1개의 무게)=2kg 900g,

(감자 3개의 무게)+1kg 700g=2kg 900g,

(감자 3개의 무게)=2kg 900g−1kg 700g=1kg 200g=1200g,

(감자 1개의 무게)=1200÷3=400(g)입니다.

보충 개념
1kg=1000g

최상위 사고력

1 8개　　　　　　　　　　　　**2** ②, ④

3 20g, 60g　　　　　　　　　**4** 25g

---

1 첫 번째 저울: ▲■■■=▲●, ■■■=●

　　두 번째 저울: ▲▲●=■■■■■■=●●, ▲▲=●

　　세 번째 저울: ■■■■■■●●=●●●●=▲▲▲▲▲▲▲▲

따라서 세 번째 저울이 평형이 되려면 빈 곳에 ▲을 8개 놓아야 합니다.

해결 전략
같은 모양은 무게가 같으므로 같은 수만큼 덜어내고 생각합니다.

2 Ⅰg, 2g, 3g……Ⅰ5g과 같이 무게가 가벼운 것부터 순서대로 재기 위해 필요한 추를 고릅니다.

Ⅰg: Ⅰg으로 잴 수 있습니다.

2g: Ⅰg짜리 Ⅰ개를 더 골라 Ⅰg짜리 2개로 잴 수 있지만 2g짜리 추를 고르면 2g 뿐만 아니라 3g까지 잴 수 있으므로 2g짜리 추를 고릅니다.

3g: Ⅰg짜리, 2g짜리 추로 잴 수 있습니다.

4g: 3g짜리 Ⅰ개를 골라 Ⅰg짜리와 같이 잴 수 있고 Ⅰg, 2g, 3g짜리 추로 5g, 6g은 잴 수 있지만 7g은 잴 수 없습니다. 4g짜리 추를 고르면 Ⅰg, 2g, 4g짜리 추로 7g까지 잴 수 있으므로 4g짜리 추를 고릅니다.

8g, 9g, Ⅰ0g……Ⅰ5g은 8g짜리 추와 위에서 알아본 Ⅰg, 2g, 3g……7g을 재는 방법을 합하여 잴 수 있습니다.

무게	방법		무게	방법
Ⅰg	Ⅰ		9g	8+Ⅰ
2g	2		Ⅰ0g	8+2
3g	2+Ⅰ		ⅠⅠg	8+2+Ⅰ
4g	4		Ⅰ2g	8+4
5g	4+Ⅰ		Ⅰ3g	8+4+Ⅰ
6g	4+2		Ⅰ4g	8+4+2
7g	4+2+Ⅰ		Ⅰ5g	8+4+2+Ⅰ
8g	8			

따라서 2g짜리 추 Ⅰ개와 4g짜리 추 Ⅰ개를 고르면 Ⅰg부터 Ⅰ5g까지인 물건의 무게를 잴 수 있습니다.

해결 전략

추의 수를 가장 적게 사용하여 재야 하므로 주어진 추로 잴 수 있는 무게가 더 많고 잴 수 있는 무게가 중복되지 않는 추를 고릅니다.

3 첫 번째 저울과 두 번째 저울을 비교하면 지우개 Ⅰ개의 무게가 연필 Ⅰ자루의 무게보다 40g 더 무겁습니다.

첫 번째 저울에서

(연필 3자루의 무게)+(지우개 2개의 무게)

=(연필 3자루의 무게)+(연필 2자루의 무게)+40+40=Ⅰ80(g),

(연필 5자루의 무게)=Ⅰ80−40−40=Ⅰ00(g)입니다.

따라서 (연필 Ⅰ자루의 무게)=20g이고,

(지우개 Ⅰ개의 무게)=20+40=60(g)입니다.

보충 개념

첫 번째 저울의 눈금을 읽어보면 Ⅰ80g이고, 두 번째 저울의 눈금을 읽어보면 220g입니다.

다른 풀이

연필 Ⅰ자루의 무게를 ●g, 지우개 Ⅰ개의 무게를 ▲g이라 하면

첫 번째 저울: ●+●+●+▲+▲=Ⅰ80…… ①

두 번째 저울: ●+●+▲+▲+▲=220…… ②

①의 식과 ②의 식을 더하면

●+●+●+●+●+▲+▲+▲+▲+▲=400,

(●+▲)+(●+▲)+(●+▲)+(●+▲)+(●+▲)=400, ●+▲=80입니다.

●+▲=80을 ①의 식에 넣으면

●+●+●+▲+▲=(●+▲)+(●+▲)+●=80+80+●=Ⅰ80,

Ⅰ60+●=Ⅰ80, ●=20g이고, ●+▲=80에서 20+▲=80, ▲=60g입니다.

따라서 연필 Ⅰ자루의 무게는 20g, 지우개 Ⅰ개의 무게는 60g입니다.

4

무게	방법	무게	방법	무게	방법
1g	5−2−2	11g	7+2+2	21g	7+7+5+2
2g	2	12g	7+5	22g	7+7+5+5−2
3g	5−2	13g	7+5+5−2−2	23g	7+7+5+2+2
4g	2+2	14g	5+5+2+2	24g	7+7+5+5
5g	5	15g	7+7+5−2−2	25g	×
6g	7−5+2+2	16g	7+7+2	26g	7+7+5+5+2
7g	7	17g	7+5+5	27g	×
8g	5+5−2	18g	7+7+2+2	28g	7+7+5+5+2+2
9g	7+2	19g	7+7+5		
10g	5+5	20g	7+7+5+5−2−2		

해결 전략
잴 수 있는 가장 무거운 무게는 6개의 추를 모두 사용할 때이므로
2+2+5+5+7+7=28(g)입니다.
1g부터 28g까지 작은 무게부터 잴 수 없는 무게를 찾습니다.

따라서 잴 수 없는 가장 가벼운 무게는 **25g**입니다.

최상위 사고력 **12** 무게의 응용

12-1. 나누어진 무게
114~115쪽

1

최상위 사고력 **12kg**

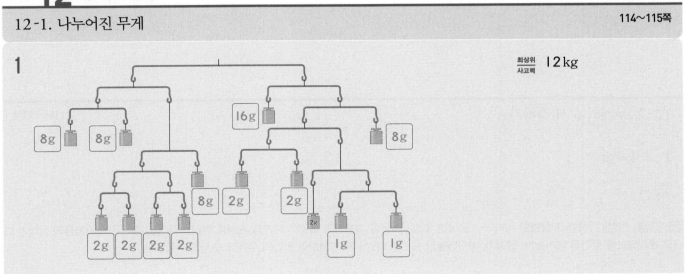

> **저자 톡!** 무게가 똑같이 나누어지는 원리를 이용하여 물건과 추의 무게를 구하는 내용입니다. 무게가 나누어지는 부분이 많아서 어려워 보이지만 먼저 알 수 있는 부분부터 무게를 구하면 쉽게 해결할 수 있습니다.

1 먼저 오른쪽 부분의 아래부터 시작하여 위로 올라가면서 추의 무게를 구합니다.
그 다음 왼쪽 부분의 위부터 시작하여 아래로 내려가면서 추의 무게를 구합니다.

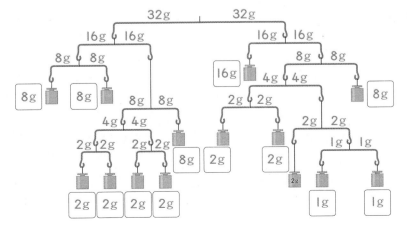

최상위 사고력 왼쪽 그림에서 2층에 있는 저울 1개의 무게가 1층으로 똑같이 나누어져 2kg씩을 나타내므로 저울 1개의 무게는 2kg+2kg=4kg입니다. 3층에 있는 저울이 12kg을 가리키므로 가방의 무게는 12kg입니다. 2층에 있는 저울은 가방과 3층에 있는 저울의 무게의 합인 12kg+4kg=16kg을 똑같이 나누어 가져야 하므로 2층에 있는 저울은 각각 8kg을 나타냅니다.

1층의 가장 왼쪽과 가운데에 있는 저울은 2층의 왼쪽에 있는 저울이 나타내는 8kg과 저울의 무게인 4kg의 합인 12kg을 똑같이 나누어 가지고 같은 방법으로 1층의 가장 오른쪽과 가운데에 있는 저울도 12kg을 똑같이 나누어 가지므로 1층 가운데에 있는 저울이 나타내는 무게는 6kg+6kg=12kg입니다.

주의
가방과 저울 3개의 무게인 24kg을 3으로 나눈 8kg을 정답으로 생각하지 않도록 합니다.

12-2. 무게의 순서 정하기 116~117쪽

1 초록 구슬

2 ㉡, ㉠

최상위 사고력 **1**

저자 톡! 평형인 윗접시저울뿐만 아니라 기울어진 윗접시저울을 이용하여 물건의 무게의 순서를 정하는 내용입니다. 윗접시저울의 상태가 그대로 유지되도록 물건을 내려놓기, 올리기, 바꾸어놓기 등으로 다양하게 변형하여 물건의 무게의 순서를 구합니다.

1 파랑 구슬을 ㉠, 빨강 구슬을 ㉡, 초록 구슬을 ㉢이라 하여 식으로 나타냅니다.

첫 번째 저울 : ㉠<㉡

두 번째 저울 : ㉠+㉠>㉡

세 번째 저울 : ㉢=㉠+㉠

세 번째 저울의 식을 두 번째 저울의 식에 넣으면 ㉢>㉡입니다.

➡ ㉢>㉡>㉠

따라서 가장 무거운 구슬은 초록 구슬입니다.

해결 전략
3개의 저울을 보고 식으로 나타내어 무게를 비교합니다.

2 첫 번째 저울 : ㉠+㉠<㉡이므로 ㉠<㉡입니다.

두 번째 저울 : ㉡+㉠=㉢+㉢+㉠, ㉡=㉢+㉢이므로 ㉢<㉡입니다.

㉠+㉠<㉡이고, ㉡=㉢+㉢이므로 ㉠+㉠<㉢+㉢, ㉠<㉢입니다.

따라서 ㉠<㉢<㉡이므로 가장 무거운 모양은 ㉡이고, 가장 가벼운 모양은 ㉠입니다.

해결 전략
기울어진 저울의 양쪽에서 같은 무게를 빼거나 더하여도 기울어진 방향은 변하지 않습니다.

최상위 사고력 두 번째 저울에서 양쪽에 ② 구슬이 있으므로

⑥＋⑨＋⑩＜①＋⑤입니다.

⑥＋⑨＋⑩의 무게는 최소 8×3＝24(g)이므로 ①과 ⑤ 구슬 중 1개는 반드시 18g짜리가 되어야 합니다.

첫 번째 저울에는 ①과 ⑤ 구슬이 왼쪽에 같이 있으므로 어느 구슬이 더 무거운지 알 수 없습니다.

세 번째 저울에서 왼쪽에는 ⑤ 구슬, 오른쪽에는 ① 구슬이 있고 오른쪽으로 기울어져 있으므로 ① 구슬이 18g입니다.

18g짜리 구슬은 1개만 있으므로 가장 무거운 구슬은 ①입니다.

따라서 가장 무거운 구슬에 적힌 수를 쓰면 1입니다.

12-3. 가짜 금화 찾기   118~119쪽

1 1

2 2번

최상위 사고력 3000원

저자 톡! 윗접시저울을 가장 적게 사용하여 무게가 가볍거나 무거운 가짜 금화 1개를 찾는 내용입니다. 금화의 개수를 점점 늘려가며 사용해야 하는 윗접시저울의 최소 횟수의 규칙을 찾아봅니다.

1 첫 번째 저울에서 가짜 금화는 ①, ③, ⑥ 중의 하나입니다.

세 번째 저울에서 가짜 금화는 ①, ③, ⑦ 중의 하나입니다.

따라서 가짜 금화는 ①, ③ 중의 하나입니다.

두 번째 저울에서 ②, ⑤, ③, ⑧은 진짜 금화이므로 가짜 금화는 ①입니다.

따라서 가짜 금화에 적힌 수를 쓰면 1입니다.

해결 전략
저울이 아래로 내려가 있는 쪽에 무거운 가짜 금화가 있습니다.

2 ① 6개의 금화를 3개씩 묶어 묶음 가, 나로 나눈 후 양쪽 접시에 올려놓습니다.

　가＞나이면 나에 가벼운 가짜 금화가 있고,

　가＜나이면 가에 가벼운 가짜 금화가 있습니다.

② 가벼운 가짜 금화가 들어 있는 쪽에서 2개의 금화를 다, 라라 하고 2개의 금화를 양쪽 접시에 올려놓습니다.

　다＞라이면 라가 가벼운 가짜 금화이고,

　다＜라이면 다가 가벼운 가짜 금화입니다.

　다＝라이면 나머지 한 금화가 가짜 금화입니다.

따라서 6개의 금화 중에서 가짜 금화를 찾으려면 저울을 최소 2번 사용해야 합니다.

해결 전략
금화를 3개씩 묶음 2개로 나누어서 무게가 가벼운 가짜 금화를 찾습니다.

최상위 사고력 ① 24개의 금화를 8개씩 묶어 묶음 가, 나, 다로 나눈 후 묶음 가, 나의 금화를 양쪽 접시에 올려놓습니다.

가=나이면 다에 가벼운 가짜 금화가 있고,

가>나이면 나에 가벼운 가짜 금화가 있고,

가<나이면 가에 가벼운 가짜 금화가 있습니다.

② 가벼운 가짜 금화가 들어 있는 8개의 금화에 각각 1부터 8까지의 번호를 붙인 후 1부터 3까지, 4부터 6까지, 7부터 8까지 묶음 3개로 나눕니다.

(1, 2, 3)=(4, 5, 6)이면 7, 8에 가벼운 가짜 금화가 있으므로 7, 8을 비교합니다.

(1, 2, 3)>(4, 5, 6)이면 1, 2, 3에 가벼운 가짜 금화가 있으므로 1, 2를 비교합니다.

(1, 2, 3)<(4, 5, 6)이면 4, 5, 6에 가벼운 가짜 금화가 있으므로 4, 5를 비교합니다.

24개의 금화 중에서 가벼운 가짜 금화 1개를 찾으려면 저울을 최소 3번 사용해야 합니다. 따라서 저울을 1번 사용하는데 1000원이 필요하므로 필요한 돈은 최소 3000원입니다.

금화를 8개씩 묶음 3개로 나누어서 무게가 가벼운 가짜 금화를 찾습니다.

최상위 사고력

120~121쪽

1 2, 가볍습니다.

2 ㉠, ㉢, ㉣, ㉡

3 (왼쪽에서부터) 3g, 6g

4 3번

1 첫 번째 저울에서 ①, ④는 진짜 금화입니다.

세 번째 저울에서 ①, ④는 진짜 금화이므로 ②, ③ 중에 무게가 가벼운 가짜 금화가 있습니다.

두 번째 저울에서 ①, ④는 진짜 금화이므로 무게가 가벼운 가짜 금화는 ②입니다.

따라서 가짜 금화에 적힌 수는 2이고, 무게는 가볍습니다.

2 첫 번째 저울에서 ㉠=㉡+㉡이므로 ㉠>㉡입니다.

두 번째 저울에서 ㉢+㉢=㉠+㉡이고 ㉠>㉡이므로 ㉠>㉢>㉡입니다.

세 번째 저울에서 ㉢+㉡=㉣+㉣이고 ㉢>㉡이므로 ㉢>㉣>㉡입니다.

따라서 무거운 것부터 차례로 모양의 기호를 쓰면 ㉠, ㉢, ㉣, ㉡입니다.

3 모빌은 중심점에서부터 추까지의 거리와 추의 무게와의 곱이 같으면 평형을 이루므로

$1 \times 6g = 2 \times ㉠$에서 $㉠=3g$이고,

$2 \times 9g = 3 \times ㉡$에서 $㉡=6g$입니다.

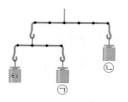

아래에 있는 추의 무게부터 구합니다.

4 ① 금화를 4개씩 묶어 묶음 가, 나, 다로 나눈 후 묶음 가, 나의 금화를
저울의 양쪽에 올려놓습니다.
가=나이면 다에 무거운 가짜 금화가 있고,
가>나이면 가에 무거운 가짜 금화가 있고,
가<나이면 나에 무거운 가짜 금화가 있습니다.
② 무거운 가짜 금화가 들어 있는 4개의 금화를 2개씩 묶어 묶음 라,
마로 나눈 후 묶음 라, 마의 금화를 저울의 양쪽에 올려놓습니다.
라>마이면 라에 무거운 가짜 금화가 있고,
라<마이면 마에 무거운 가짜 금화가 있습니다.
③ 무거운 가짜 금화가 들어 있는 2개의 금화를 바, 사라 하고 2개의
금화를 저울의 양쪽에 올려놓습니다.
바>사이면 바가 무거운 가짜 금화이고,
바<사이면 사가 무거운 가짜 금화입니다.
따라서 12개의 금화 중에서 가짜 금화를 찾으려면 저울을 최소
3번 사용해야 합니다.

해결 전략
금화를 4개씩 묶음 3개로 나누어서 무게가
무거운 가짜 금화를 찾습니다.

최상위 사고력 **13** 들이 재기

13-1. 들이의 계산   122~123쪽

1 ③, ⑤

2 4 L, 2 L, 1 L

최상위
사고력 **22컵**

저자 톡! 들이가 다른 여러 종류의 그릇의 관계를 이용하여 각 그릇에 들어가는 물의 양을 구하는 내용입니다. 윗접시저울에서 물건의 무게를 구하는 방법과 같이 등식의 성질을 이용하여 그릇의 들이를 구합니다.

1 ① 5 L 900 mL − 3 L 700 mL = 2 L 200 mL
들이가 5 L 900 mL인 통에 물을 가득 부은 후
들이가 3 L 700 mL인 통에 가득 차도록 덜어내면
들이가 5 L 900 mL인 통에 2 L 200 mL의 물이 남습니다.
② 5 L 900 mL + 2 L 300 mL = 8 L 200 mL
들이가 5 L 900 mL인 통에 물을 가득 부은 후
들이가 2 L 300 mL인 통에 물을 가득 부으면
두 통에 담긴 물의 양은 8 L 200 mL입니다.
④ 7 L 200 mL − 5 L 900 mL = 1 L 300 mL
들이가 7 L 200 mL인 통에 물을 가득 부은 후
들이가 5 L 900 mL인 통에 가득 차도록 덜어내면
들이가 7 L 200 mL인 통에 1 L 300 mL의 물이 남습니다.
따라서 잴 수 없는 들이는 ③, ⑤입니다.

해결 전략
등식의 성질을 이용하여 잴 수 있는 들이를
구합니다.

2 은우와 지호가 물을 가득 담은 방법을 비교합니다.

(은우)=~~가~~+~~나~~+~~나~~+~~나~~+다+다+다+다

(지호)=~~가~~+~~나~~+~~나~~+~~나~~+나+나

➡ 다×4=나×2, 다×2=나

은우와 성수가 물을 가득 담은 방법을 비교합니다.

(은우)=~~가~~+나+나+나+~~다~~+~~다~~+~~다~~+~~다~~

(성수)=~~가~~+가+~~다~~+~~다~~+~~다~~+~~다~~+다+다

➡ 나×3=다×2+가, 나×3=나+가, 나×2=가

세 사람은 모두 들이가 14L인 수조에 물을 가득 담았으므로

가×2+다×6=14입니다.

이 식에 가=나×2를 넣으면

(나×2)×2+다×6=나×4+다×6=14입니다.

이 식에 나=다×2를 넣으면

(다×2)×4+다×6=다×14=14, 다=1L입니다.

나=다×2이므로 나=1×2=2(L)이고,

가=나×2이므로 가=2×2=4(L)입니다.

해결 전략
들이가 같은 그릇끼리는 같은 수만큼 서로 지워서 비교합니다.

최상위 사고력 첫 번째 조건: ㉠=㉡+6

두 번째 조건: ㉡+㉡=㉠+2

➡ ㉡+㉡=㉠+2, ㉡+㉡=㉡+6+2, ㉡=8

㉡=8이므로 ㉠=8+6=14입니다.

따라서 ㉠ 통과 ㉡ 통에 물을 가득 채울 때 필요한 물은 작은 컵으로

14+8=22(컵)입니다.

해결 전략
2개의 통에 들어가는 물의 양을 각각 ㉠, ㉡이라 하여 조건에 맞게 식을 세웁니다.

13-2. 눈금 없는 그릇으로 들이 재기

124~125쪽

1 (1) 풀이 참조 (2) 풀이 참조   **최상위 사고력** 12L

저자 톡! 주어진 들이의 비커를 사용하여 목표로 하는 들이를 담는 내용입니다. 처음부터 수의 덧셈과 뺄셈을 이용하여 들이를 만들기보다 물이 이동하는 과정을 그림을 그려 덧셈과 뺄셈 상황을 먼저 이해하도록 합니다.

1 (1) **식** 600−400+700=900

방법 **예** 들이가 600 mL인 그릇에 물을 가득 채우고 그 물을 들이가 400 mL인 그릇에 가득 붓습니다. 들이가 700 mL인 그릇에 물을 가득 채웁니다. 들이가 600 mL인 그릇에 남아 있는 물 200 mL와 들이가 700 mL인 그릇의 물을 합치면 900 mL가 됩니다.

해결 전략
400, 600, 700의 합과 차를 이용하여 900을 만들어 봅니다.

(2) ⑩ 들이가 600 mL인 그릇의 물을 버리고 들이가 400 mL인 그릇
　　의 물을 들이가 600 mL인 그릇에 모두 붓습니다.
　　들이가 700 mL인 그릇의 물을 들이가 600 mL인 그릇에 가득
　　부으면 들이가 700 mL인 그릇에 500 mL의 물이 남습니다.

최상위 사고력	들이가 4 L인 그릇에 들어 있는 물의 양(L)	들이가 7 L인 그릇에 들어 있는 물의 양(L)	사용한 물의 양(L)
①	4	0	4
②	0	4	4
③	4	4	8
④	1	7	8
⑤	1	0	8
⑥	0	1	8
⑦	4	1	12

① 들이가 4 L인 그릇에 물을 가득 채웁니다.
② 들이가 4 L인 그릇의 물을 전부 들이가 7 L인 그릇에 붓습니다.
③ 들이가 4 L인 그릇에 다시 물을 가득 채웁니다.
④ 들이가 4 L인 그릇의 물을 들이가 7 L인 그릇이 가득 차도록 붓습
　 니다.
⑤ 들이가 7 L인 그릇의 물을 모두 버립니다.
⑥ 들이가 4 L인 그릇에 남은 물 1 L를 모두 들이가 7 L인 그릇에 붓
　 습니다.
⑦ 들이가 4 L인 그릇에 다시 물을 가득 채웁니다.
들이가 4 L인 그릇에 들어 있는 물 4 L와 들이가 7 L인 그릇에 들어
있는 1 L를 합하면 모두 5 L가 됩니다.
따라서 필요한 최소의 물의 양은 12 L입니다.

해결 전략
물을 옮기는 방법을 표를 그려 찾아봅니다.

13-3. 최소 횟수로 들이 재기

1 7번

2 3번

최상위
사고력　7번

저자 톡! 그릇을 최소로 사용하여 목표한 들이를 만드는 내용입니다. 물이 이동하는 과정을 그림이나 말로 나타내기보다 표를 이용하여 나타
내도록 합니다.

1 들이가 10 L, 7 L인 그릇을 사용하여 수조에 36 L의 물을 담는 방법을 식으로 나타내면 $10+10+10+10-7+10-7=36$입니다.

들이가 10 L인 그릇에 물을 가득 채워 3번 수조에 붓습니다.

그런 다음 들이가 10 L인 그릇에 물을 가득 채워 들이가 7 L인 그릇에 덜어낸 후 남은 물 3 L를 수조에 옮기는 과정을 2번 반복하므로 그릇을 $2 \times 2 = 4$(번) 사용합니다.

따라서 그릇을 최소 $3+4=7$(번) 사용해야 합니다.

해결 전략

10, 7의 합과 차를 이용하여 36을 만들어 봅니다.

2

횟수 (번)	들이가 7 L인 통에 들어 있는 물의 양(L)	들이가 5 L인 통에 들어 있는 물의 양(L)	들이가 3 L인 통에 들어 있는 물의 양(L)	방법
0	7	0	0	처음 상태입니다.
1	4	0	3	들이가 7 L인 통에 가득 들어 있는 물을 들이가 3 L인 통에 가득 차도록 붓습니다.
2	4	3	0	들이가 3 L인 통에 가득 찬 물을 들이가 5 L인 통에 모두 붓습니다.
3	1	3	3	들이가 7 L인 통에 있는 물을 들이가 3 L인 통에 가득 차도록 붓습니다.

따라서 1 L를 만들려면 최소 물을 3번 옮겨야 합니다.

최상위 사고력

횟수 (번)	들이가 8 L인 통에 들어 있는 기름의 양(L)	들이가 5 L인 통에 들어 있는 기름의 양(L)	들이가 3 L인 통에 들어 있는 기름의 양(L)	방법
0	8	0	0	처음 상태입니다.
1	3	5	0	들이가 8 L인 통에 가득 들어 있는 기름을 들이가 5 L인 통이 가득 차도록 붓습니다.
2	3	2	3	들이가 5 L인 통에 가득 찬 기름을 들이가 3 L인 통에 가득 차도록 붓습니다.
3	6	2	0	들이가 3 L인 통에 가득 찬 기름을 들이가 8 L인 통에 모두 붓습니다.
4	6	0	2	들이가 5 L인 통에 들어 있는 기름을 들이가 3 L인 통에 모두 붓습니다.
5	1	5	2	들이가 8 L인 통에 들어 있는 기름을 들이가 5 L인 통에 가득 차도록 붓습니다.
6	1	4	3	들이가 5 L인 통에 들어 있는 기름을 들이가 3 L인 통에 가득 차도록 붓습니다.
7	4	4	0	들이가 3 L인 통에 들어 있는 기름을 들이가 8 L인 통에 모두 붓습니다.

따라서 최소 기름을 7번 옮겨야 합니다.

1 3번 **2** 3번
3 9번 **4** 11번

1 첫 번째 조건: ㉠×2=㉡
두 번째 조건: ㉢×6=㉡
위의 두 식을 이용하면 ㉠×2=㉢×6, ㉠=㉢×3이므로 ㉠ 물통에
물을 가득 채우려면 ㉢ 물통에 가득 채운 물을 3번 부으면 됩니다.

> **해결 전략**
> 3개의 물통에 들어가는 물의 양을 ㉠, ㉡, ㉢이라 하여 조건에 맞게 식을 세웁니다.

2 물을 옮기는 방법을 표를 그려 찾아봅니다.

횟수 (번)	들이가 20 L인 통에 들어 있는 물의 양(L)	들이가 16 L인 통에 들어 있는 물의 양(L)	들이가 6 L인 통에 들어 있는 물의 양(L)	방법
0	20	0	0	처음 상태입니다.
1	14	0	6	들이가 20 L인 통에 가득 들어 있는 물을 들이가 6 L인 통에 가득 차도록 붓습니다.
2	14	6	0	들이가 6 L인 통에 들어 있는 물을 들이가 16 L인 통에 모두 붓습니다.
3	8	6	6	들이가 20 L인 통에 들어 있는 물을 들이가 6 L인 통에 가득 차도록 붓습니다.

따라서 물을 옮기는 최소 횟수는 3번입니다.

3 물을 옮기는 방법을 표를 그려 찾아봅니다.

횟수 (번)	들이가 8 L인 통에 들어 있는 물의 양(L)	들이가 5 L인 통에 들어 있는 물의 양(L)	방법
1	8	0	들이가 8 L인 통에 물을 가득 채웁니다.
2	3	5	들이가 8 L인 통에 가득 채운 물을 들이가 5 L인 통에 가득 차도록 붓습니다.
	3	0	들이가 5 L인 통에 들어 있는 물을 모두 버립니다.
3	0	3	들이가 8 L인 통에 들어 있는 물을 들이가 5 L인 통에 모두 붓습니다.
4	8	3	들이가 8 L인 통에 물을 가득 채웁니다.
5	6	5	들이가 8 L인 통에 가득 채운 물을 들이가 5 L인 통에 가득 차도록 붓습니다.
	6	0	들이가 5 L인 통에 들어 있는 물을 모두 버립니다.
6	1	5	들이가 8 L인 통에 들어 있는 물을 들이가 5 L인 통에 가득 차도록 붓습니다.
	1	0	들이가 5 L인 통에 들어 있는 물을 모두 버립니다.
7	0	1	들이가 8 L인 통에 들어 있는 물을 들이가 5 L인 통에 모두 붓습니다.
8	8	1	들이가 8 L인 통에 물을 가득 채웁니다.
9	4	5	들이가 8 L인 통에 가득 채운 물을 들이가 5 L인 통에 가득 차도록 붓습니다.

따라서 물을 옮기는 최소 횟수는 9번입니다.

4

횟수 (번)	들이가 12 L인 통에 들어 있는 우유의 양(L)	들이가 7 L인 통에 들어 있는 우유의 양(L)	들이가 5 L인 통에 들어 있는 우유의 양(L)
0	12	0	0
1	5	7	0
2	5	2	5
3	10	2	0
4	10	0	2
5	3	7	2
6	3	4	5
7	8	4	0
8	8	0	4
9	1	7	4
10	1	6	5
11	6	6	0

해결 전략
우유를 옮기는 방법을 표를 그려 찾아봅니다.

따라서 우유를 옮기는 최소 횟수는 11번입니다.

Review V 측정

130~132쪽

1 200 mL

2 ⓒ, ㉠, ㉡

3 10가지

4 320 g, 160 g, 200 g

5 5번

6 4 g

1 가장 큰 통부터 가장 작은 통까지의 들이를 차례로 ㉠, ㉡, ㉢이라 하여 식으로 나타냅니다.

방법1 ㉠+㉠+㉡+㉢+㉢

방법2 ㉠+㉡+㉡+㉡+㉢+㉢

방법3 ㉠+㉡+㉡+㉢+㉢+㉢+㉢

방법1 , 방법2 에 의해 ㉠=㉡×2이고,

방법2 , 방법3 에 의해 ㉡=㉢×2이므로

㉠=㉡×2=㉢×2×2=㉢×4입니다.

방법1 의 식에서

㉠×2+㉡+㉢×2

$=$㉢×4×2+㉢×2+㉢×2=㉢×12=2400(mL)이므로

㉢=2400÷12=200(mL)입니다.

따라서 가장 작은 통의 들이는 200 mL입니다.

해결 전략
가장 큰 통부터 가장 작은 통까지의 들이를 차례로 ㉠, ㉡, ㉢이라 하여 세 통의 들이의 관계를 이용합니다.

보충 개념
방법1 ⬚+㉠+⬚+⬚+⬚
방법2 ⬚+⬚+㉡+㉡+⬚+⬚
➡ ㉠=㉡+㉡
➡ ㉠=㉡×2

2 첫 번째 저울: ㉠<㉡

두 번째 저울: ㉡>㉢

세 번째 저울: ㉠>㉢

첫 번째, 세 번째 식에 의해 ㉡>㉠>㉢입니다.

해결 전략

주어진 추를 사용하여 Ⅰg부터 ⅠⅠg까지 잴 수 있는 무게를 찾아봅니다.

3 잴 수 있는 가장 무거운 무게는 추 4개를 모두 한쪽에만 놓았을 때 $2+3+6=11$ (g)이므로 Ⅰg부터 ⅠⅠg까지 잴 수 있는 무게를 찾아봅니다.

무게	방법	무게	방법
Ⅰg	3-2	7g	6+3-2
2g	2	8g	6+2
3g	3	9g	6+3
4g	6-2	10g	×
5g	2+3	ⅠⅠg	6+3+2
6g	6		

따라서 잴 수 있는 무게는 모두 10가지입니다.

4 (인형 Ⅰ개의 무게)+(축구공 Ⅰ개의 무게)=480 g …… ①

(축구공 Ⅰ개의 무게)+(컵 Ⅰ개의 무게)=360 g …… ②

(컵 Ⅰ개의 무게)+(인형 Ⅰ개의 무게)=520 g …… ③

①, ②, ③을 모두 더하면

(인형 2개의 무게)+(축구공 2개의 무게)+(컵 2개의 무게)=1360 g

➡ (인형 Ⅰ개의 무게)+(축구공 Ⅰ개의 무게)+(컵 Ⅰ개의 무게)

 $=1360÷2=680$ (g)

따라서 (인형 Ⅰ개의 무게)=$680-360=320$ (g),

(축구공 Ⅰ개의 무게)=$680-520=160$ (g),

(컵 Ⅰ개의 무게)=$680-480=200$ (g)입니다.

5 물을 옮기는 방법을 표를 그려 찾아봅니다.

주의

물을 버리는 것은 횟수에 포함하지 않습니다.

횟수(번)	들이가 5L인 병에 들어 있는 물의 양(L)	들이가 3L인 병에 들어 있는 물의 양(L)	방법
0	0	0	처음 상태
Ⅰ	5	0	들이가 5L인 병에 물을 가득 채웁니다.
2	2	3	들이가 5L인 병에 가득 채운 물을 들이가 3L인 병에 가득 차도록 붓습니다.
	2	0	들이가 3L인 병에 있는 물을 모두 버립니다.
3	0	2	들이가 5L인 병에 들어 있는 물을 들이가 3L인 병에 붓습니다.
4	5	2	들이가 5L인 병에 물을 가득 채웁니다.
5	4	3	들이가 5L인 병에 들어 있는 물을 들이가 3L인 병에 가득 차도록 붓습니다.

따라서 물을 최소 5번 옮겨야 합니다.

6 먼저 오른쪽 부분의 아래부터 시작하여 위로 올라가면서 추의 무게를 구합니다. 그 다음 왼쪽 부분의 위부터 시작하여 아래로 내려가면서 추의 무게를 구합니다.

해결 전략
무게가 똑같이 나누어지는 원리를 이용하여 ㉠의 무게를 구합니다.

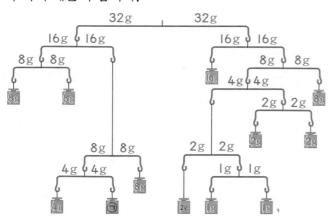

따라서 ㉠은 **4g**입니다.

Ⅵ 확률과 통계

표와 그래프는 어떤 자료를 기준에 따라 분류하여 이해하기 쉽게 표현해 놓은 것입니다. 따라서 정보가 넘쳐나는 현대사회에 표와 그래프는 정보를 이해하는 유용한 도구가 될 것입니다.

이번 단원에서는 문제해결의 도구로써 표를 이용하는 방법과 다양한 형태의 그래프를 해석하는 방법에 중점을 두어 학습합니다.

14 표를 이용하여 문제 해결하기에서는 여러 가지 조건을 이용하여 표를 완성하는 주제를 시작으로 표를 이용하면 문제를 쉽게 해결할 수 있는 주제인 연역표와 표 만들어 해결하기를 차례로 다룹니다.

15 그래프의 해석에서는 학교 수학에서 배운 그림그래프를 완성하는 주제를 기초로 하여 막대그래프, 꺾은선그래프 등을 실생활과 관련 지어 그래프를 읽고 만들며 해석하는 방법을 학습하게 됩니다.

수학 내적 · 외적으로 표와 그래프가 이용되는 상황을 경험하여 수학의 유용함을 느끼고 수학에 대한 긍정적인 태도를 가질 수 있습니다.

최상위 사고력 **14** 표를 이용하여 문제 해결하기

14-1. 조건과 표 그리기   134~135쪽

1 (왼쪽에서부터) 8, 5, 2   **2** (왼쪽에서부터) 9, 6, 4, 8, 3

최상위
사고력 **4, 3, 4**

저자 톡! 여러 가지 조건에 맞게 표를 완성하는 내용입니다. 빠짐없이 조건을 모두 이용하여 표를 완성하도록 합니다.

1 두 번째 조건에 맞게 영어를 좋아하는 학생 수를 □라 하면 음악을 좋아하는 학생 수는 □+3입니다.

해결 전략
두 번째 조건 → 첫 번째 조건 순서로 생각 합니다.

과목	수학	과학	미술	음악	영어	합계
학생 수(명)	9	6		□+3	□	30

영어를 좋아하는 학생 수가 1명, 2명, 3명……인 경우로 나누어 조건에 맞는 학생 수를 찾습니다.

과목	수학	과학	미술	음악	영어	합계
	9	6		□+3	□	30
학생 수(명)	9	6	10	4	1	30
	9	6	8	5	2	30
	9	6	6	6	3	30

따라서 영어를 좋아하는 학생 수가 2명일 때 조건을 모두 만족합니다.

2 세 번째 조건에 맞게 수요일에 빌린 책의 수를 써넣습니다.

보충 개념

(목요일에 빌린 책의 수)

$=$(금요일에 빌린 책의 수)$\times\dfrac{1}{2}$

➡ (목요일에 빌린 책의 수)$\times 2$
    $=$(금요일에 빌린 책의 수)

요일	월	화	수	목	금	토	합계
책의 수(권)		7	6				37

다섯 번째 조건에 맞게 목요일에 빌린 책의 수를 □라 하면 금요일에 빌린 책의 수는 □×2입니다.

요일	월	화	수	목	금	토	합계
책의 수(권)		7	6	□	□×2		37

네 번째 조건에서 목요일부터 토요일까지 빌린 책이 15권이므로 월요일에 빌린 책은 $37-7-6-15=9$(권)입니다.

요일	월	화	수	목	금	토	합계
책의 수(권)	9	7	6	□	□×2		37

목요일에 빌린 책이 1권, 2권, 3권……인 경우로 나누어 토요일에 빌린 책의 수를 구합니다.

요일	월	화	수	목	금	토
책의 수(권)	9	7	6	□	□×2	
	9	7	6	1	2	12
	9	7	6	2	4	9
	9	7	6	3	6	6
	9	7	6	4	8	3

— 첫 번째 조건에서 최대 9권을 넘을 수 없습니다.
— 두 번째 조건에서 월요일과 토요일에 책을 9권으로 똑같이 빌릴 수 없습니다.
— 두 번째 조건에서 금요일과 토요일에 책을 6권으로 똑같이 빌릴 수 없습니다.

따라서 목요일에 빌린 책이 4권일 때 조건을 모두 만족합니다.

최상위 사고력 26명 중에 파랑, 노랑, 초록을 좋아하는 학생은
$26-8-7=11$(명)입니다.
조건에서 파랑과 초록을 좋아하는 학생 수는 같고, 파랑을 좋아하는 학생 수가 노랑을 좋아하는 학생 수보다 많다고 하였으므로
㉠＝㉢＞㉡입니다.
남아 있는 자료에 파랑, 노랑, 초록의 학생 수는
파랑: 1명, 노랑: 2명, 초록: 2명입니다.
㉡, ㉢은 최소 2명이어야 하고, ㉠＝㉢이므로 ㉠도 최소 2명이어야 합니다.
따라서 ㉠과 ㉢이 2, 3, 4……인 경우로 나누어 구합니다.

보충 개념

합계를 이용하여 파랑, 노랑, 초록을 좋아하는 학생 수를 구합니다.
➡ $26-8-7=11$(명)

파랑	노랑	초록
㉠	㉡	㉢
2	7	2
3	5	3
4	3	4
5	1	5

— ㉠＞㉡이므로 조건에 맞지 않습니다
— ㉢은 최소 2명이어야 하므로 맞지 않습니다.

따라서 ㉠＝4, ㉡＝3, ㉢＝4입니다.

1 4반　　　　　　　　　　　　　　**2** 박씨, 11살

최상위 사고력 2번, 3번, 4번, 1번

저자 톡! 말로 표현된 여러 가지 조건이 있는 문제를 표를 이용하여 해결하는 내용입니다. 조건을 이해하기 어려운 경우에는 조건을 다른 말로 바꾸어 보도록 하여 표를 이용한 문제 해결의 경험을 통해 표의 유용함을 느끼도록 합니다.

1 진아는 1반입니다

이름 \ 반	1반	2반	3반	4반
보영				
진아	○			
상호				
기태				

보영이는 2반이 아닙니다.

이름 \ 반	1반	2반	3반	4반
보영		×		
진아	○			
상호				
기태				

➡

기태는 2반이 아닙니다.

이름 \ 반	1반	2반	3반	4반
보영		×		
진아	○			
상호				
기태		×		

보영이는 4반이 아닙니다.

이름 \ 반	1반	2반	3반	4반
보영		×		×
진아	○			
상호				
기태		×		

➡

학생과 반이 겹치지 않게 둘씩 짝지어 봅니다.

이름 \ 반	1반	2반	3반	4반
보영		×	○	×
진아	○			
상호			○	
기태		×		○

2 이름과 성이 있는 표와 이름과 나이가 있는 표 두 가지를 그려서 찾아봅니다.

① 진우는 승민이와 이씨 성을 가진 학생보다 어리다고 했으므로 진우가 가장 어립니다. 따라서 진우는 9살이고, 이씨가 아닙니다. 승민이도 이씨가 아니므로 하영이가 이씨입니다.

이름 \ 성	김	이	박
진우		×	
승민		×	
하영		○	

이름 \ 나이	9살	10살	11살
진우	○		
승민			
하영			

➡

② 박씨 성을 가진 학생은 이씨 성을 가진 학생보다 나이가 많으므로 나이가 제일 어린 진우는 박씨가 아닙니다. 따라서 진우는 김씨입니다.

이름 \ 성	김	이	박
진우	○	×	×
승민		×	
하영		○	

이름 \ 나이	9살	10살	11살
진우	○		
승민			
하영			

➡

③ 남은 성은 박씨이므로 승민이는 박씨입니다. 박씨 성을 가진 학생이 이씨 성을 가진 학생보다 나이가 많으므로 가장 나이가 많습니다. 따라서 승민이는 11살이고 남은 나이는 10살이므로 하영이는 10살입니다.

이름 \ 성	김	이	박
진우	○	×	×
승민		×	○
하영		○	

이름 \ 나이	9살	10살	11살
진우	○		
승민			○
하영		○	

최상위 사고력 세 사람이 예상한 것을 표로 그린 후 예상한 등수를 표에 써넣습니다.

	1번	2번	3번	4번
민하	2등	1등		
시후			1등	3등
동주	4등			2등

민하의 예상 중에 1가지가 맞았다고 생각하고 다른 사람이 한 예상도 1가지씩 맞는지 알아봅니다.

① 민하의 예상 중에 1번 선수가 2등을 한 것이 맞다고 생각해 봅니다.

	1번	2번	3번	4번
민하	②등	1등		
시후			1등	3등
동주	4등			2등

➡

세 사람이 예상한 것 중에 1가지씩만 맞도록 맞은 것은 ○표, 틀린 것은 ×표 합니다.

	1번	2번	3번	4번
민하	②등	1̶등̶		
시후			1등	3등
동주	4̶등̶			2̶등̶

동주의 예상이 2개 다 틀렸으므로 조건에 맞지 않습니다.

② 민하의 예상 중에 2번 선수가 1등을 한 것이 맞다고 생각해 봅니다.

	1번	2번	3번	4번
민하	2̶등̶	①등		
시후			1등	3등
동주	4등			2등

➡

세 사람이 예상한 것 중에 1가지씩만 맞도록 맞은 것은 ○표, 틀린 것은 ×표 합니다.

	1번	2번	3번	4번
민하	2̶등̶	①등		
시후			1̶등̶	③등
동주	④등			2̶등̶

따라서 순위가 높은 차례로 번호를 쓰면 2번, 3번, 4번, 1번입니다.

지도 가이드
주어진 조건으로부터 결과를 이끌어 내는 것을 연역적 추론이라고 합니다.
연역적 추론 문제를 해결할 때에는 연역표를 이용하는 것이 효율적입니다.
연역표에서 맞는 것에는 ○표, 맞지 않는 것에는 ×표 합니다.
연역표에서는 ○표가 가로줄, 세로줄에 하나씩만 있도록 표를 완성하여 문제를 해결하도록 지도합니다.

보충 개념
주어진 사실에서 논리적 모순 없이 결론을 이끌어 내는 방법을 연역법이라고 합니다. 주어진 사실을 그림이나 표로 나타내면 알고자 하는 결론을 쉽게 이끌어 낼 수 있습니다.

14-3. 표 만들어 해결하기

138~139쪽

1 10번

최상위 사고력 A 18마리

2 5문제

최상위 사고력 B 25명

저자 톡! 주어진 조건 사이에 일정한 관계나 규칙이 있는 경우 표를 만들어 문제를 해결하는 내용입니다. 표를 그릴 때는 작은 수부터 수를 점점 크게 하거나, 큰 수부터 수를 점점 작게 하여 규칙을 발견할 수 있어야 합니다.

1 30번 모두 숫자면이 나왔다면 처음의 위치보다 계단을
$30 \times 4 = 120$(개) 더 올라가게 됩니다.

숫자면이 나온 횟수(번)	30	29	28	27	26	……
그림면이 나온 횟수(번)	0	1	2	3	4	……
계단의 수(개)	120	115	110	105	100	……

$-5 \quad -5 \quad -5 \quad -5$

그림면이 나온 횟수가 1번씩 늘어날 때마다 올라간 계단의 수가 5개
씩 줄어듭니다. $120 - 20 = 100$(개)가 줄어들어야 하므로
$100 \div 5 = 20$이고, 그림면이 20번 나와야 합니다.
따라서 숫자면은 $30 - 20 = 10$(번) 나와야 합니다.

해결 전략
그림면이 1개씩 늘어날 때마다 올라간 계단의 수는 몇 개씩 줄어드는지 표를 그려 찾아봅니다.

2 20문제를 모두 맞혔다고 생각하면 $20 \times 20 = 400$(점)과 기본 점수
100점을 더해 500점을 얻을 수 있습니다.
틀린 문제 수를 1문제씩 늘려가며 규칙을 찾습니다.

맞힌 문제 수	20	19	18	17	16	……
틀린 문제 수	0	1	2	3	4	……
기본 점수(점)	100	100	100	100	100	……
얻은 점수(점)	500	470	440	410	380	……

$-30 \quad -30 \quad -30 \quad -30$

틀린 문제 수가 1문제씩 늘어날 때마다 얻은 점수가 30점씩 줄어듭니다.
$500 - 50 = 450$(점)이므로 틀린 문제는 모두 $450 \div 30 = 15$(문제)
입니다.
따라서 정우가 맞힌 문제는 모두 $20 - 15 = 5$(문제)입니다.

해결 전략
틀린 문제 수가 1문제씩 늘어남에 따라 얻은 점수는 몇 점씩 줄어드는지 표를 그려 찾아봅니다.

주의
기본 점수를 빠뜨리지 않고 더합니다.

최상위 사고력 **A** 모두 잠자리라고 생각하면 다리의 수는 $30 \times 6 = 180$(개)입니다.
개구리의 수가 1마리씩 늘어날 때마다 잠자리와 참새의 수를 쓰고 다
리의 수를 씁니다.

잠자리의 수(마리)	30	26	22	18	14	10	6	……
개구리의 수(마리)	0	1	2	3	4	5	6	……
참새의 수(마리)	0	3	6	9	12	15	18	……
다리의 수의 합	180	166	152	138	124	110	96	……

$-14 \quad -14 \quad -14 \quad -14 \quad -14 \quad -14$

개구리의 수가 1마리씩 늘어날 때마다 다리의 수는 14개씩 줄어듭니다.
모두 잠자리인 경우와의 다리 수의 차가 $180 - 96 = 84$(개)이므로 개
구리의 수는 $84 \div 14 = 6$(마리)입니다.
따라서 참새의 수는 개구리의 수의 3배이므로 $6 \times 3 = 18$(마리)입니다.

해결 전략
개구리의 수가 1마리씩 늘어날 때마다 다리의 수가 몇 개씩 줄어드는지 표를 그려 찾아봅니다.

100명이 모두 어른이라고 생각하면 어른 1명당 빵 3개를 먹으므로
빵은 3×100=300(개)가 있어야 합니다.
어린이 3명당 빵 1개를 먹으므로 어린이의 수를 3명씩 늘리고 어른의
수를 3명씩 줄이며 빵이 100개가 되는 경우를 구합니다.

해결 전략
어린이의 수가 3명씩 늘어날 때마다 빵의
수가 몇 개씩 줄어드는지 표를 그려 찾아봅
니다.

어른의 수(명)	100	97	94	91	88	……
어린이의 수(명)	0	3	6	9	12	……
빵의 수(개)	300	292	284	276	268	……

−8 −8 −8 −8

어린이의 수가 3명씩 늘어날 때마다 빵의 수가 8개씩 줄어듭니다.
300−100=200(개)가 줄어들어야 하므로 200÷8=25이고, 어린
이는 3명이 1개의 빵을 먹으므로 어린이는 25×3=75(명)입니다.
따라서 어른은 100−75=25(명)입니다.

다른 풀이
어른 1명과 어린이 3명이 먹는 빵은 4개입니다. 어른 1명과 어린이 3명을 한 묶음으로
생각하면 100÷4=25(묶음)이므로
25묶음 안에 어른은 25명, 어린이는 25×3=75(명) 있습니다.
따라서 어른은 25명입니다.

최상위 사고력

140~141쪽

1 형규

2 A: 요리사, 수영 선수 / B: 가수, 변호사 / C: 의사, 배우

3 (1) 42점, 45점   (2) 44점, 47점, 45점

---

1 첫 번째 놀이 기구에 탄 학생들을 보고 세로줄에 형제가 아닌 민호, 해
철, 수영, 승우 4명의 이름을 차례로 써넣고, 가로줄에 나머지 학생 4
명의 이름을 써넣어 표를 만듭니다.

해결 전략
8명의 학생은 민호, 해철, 수영, 승우, 현정,
형규, 동혁, 기태입니다.

민호, 해철, 수영, 승우와 형제
가 아닌 사람에 ×표 합니다.

	현정	형규	동혁	기태
민호		×	×	
해철	×	×		
수영	×	×	×	
승우				

둘씩 형제가 되도록 빈칸에 ○
표 합니다.

	현정	형규	동혁	기태
민호	○	×	×	
해철	×	×	○	
수영	×	×	×	○
승우		○		

따라서 승우의 형제는 형규입니다.

2 주어진 조건을 직업을 알 수 있는 조건으로 바꿉니다.

┤조건├
- 배우는 요리사의 음식을 좋아합니다.
- 의사와 변호사는 A와 친구입니다.
- 요리사는 가수의 노래를 평소에 즐겨 부릅니다.
- 변호사는 1년 전에 배우의 사건을 맡았습니다.
- B는 오늘 오후 병원에서 의사를 만났습니다.
- C는 B와 요리사보다 키가 큽니다.

➡

- 배우는 요리사가 아닙니다.
- 의사는 변호사가 아니고, A는 의사와 변호사가 아닙니다.
- 요리사는 가수가 아닙니다.
- 변호사는 배우가 아닙니다.
- B는 의사가 아닙니다.
- C는 요리사가 아니고, B도 요리사가 아닙니다.

조건2

	요리사	의사	가수	변호사	배우	수영 선수
A		×		×		
B						
C						

➡

조건5

	요리사	의사	가수	변호사	배우	수영 선수
A		×		×		
B		×				
C						

➡

조건6

	요리사	의사	가수	변호사	배우	수영 선수
A	○	×		×		
B	×	×				
C	×	○				

➡

조건2

	요리사	의사	가수	변호사	배우	수영 선수
A	○	×		×		
B	×	×		○		
C	×	○		×		

➡

➡ 세로줄에 빈칸이 하나씩 남은 곳에 ○표를 넣으면 A는 요리사, C는 의사입니다.

➡ 세로줄에 빈칸이 하나 남은 곳에 ○표를 넣으면 B는 변호사입니다.

조건1

	요리사	의사	가수	변호사	배우	수영 선수
A	○	×		×	×	
B	×	×		○		
C	×	○		×		

➡

조건3

	요리사	의사	가수	변호사	배우	수영 선수
A	○	×	×	×	×	
B	×	×		○		
C	×	○		×		

➡

조건4

	요리사	의사	가수	변호사	배우	수영 선수
A	○	×	×	×	×	
B	×	×		○	×	
C	×	○		×	○	

➡

	요리사	의사	가수	변호사	배우	수영 선수
A	○	×	×	×	×	○
B	×	×	○	○	×	
C	×	○		×	○	

➡

➡ 세로줄에 빈칸이 하나 남은 곳에 ○표를 넣으면 C는 배우입니다.

3 (1) 유미가 받을 수 있는 최소 득점은 세 번째 심판이 7점보다 적은 점수를 준 경우입니다.
가장 낮은 점수와 가장 높은 점수를 각각 하나씩 제외하면 유미가 받을 수 있는
최소 득점은 7+8+8+9+10=42(점)입니다.
최대 득점은 세 번째 심판이 10점을 준 경우입니다.
가장 낮은 점수와 가장 높은 점수를 각각 하나씩 제외하면 유미가 받을 수 있는
최대 득점은 8+8+9+10+10=45(점)입니다.

	최소	최대	등수
유미	42	45	3
지호	45	47	1
연우	45	45	2

해결 전략
유미, 지호, 연우의 최소 득점과 최대 득점을 각각 구합니다.

연우가 45점이고 2등이므로 유미의 최대 득점은 44점입니다.
따라서 지호가 1등, 연우가 2등, 유미가 3등일 때 유미, 지호,
연우의 최대 득점을 차례로 구하면 44점, 47점, 45점입니다.

최상위 사고력 15 그래프의 해석

15-1. 그림그래프

142~143쪽

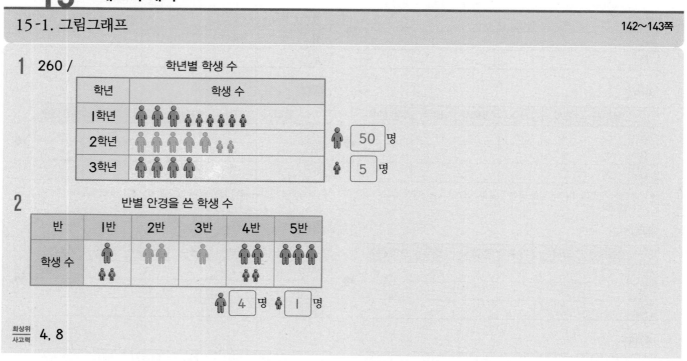

1 260 /

2 4, 8

저자 톡! 조건에 맞게 그림그래프를 완성하는 내용입니다. 그림그래프는 그림의 상대적인 크기로 자료의 양을 나타냅니다. 따라서 그림의 상대적인 크기를 비교하여 그림 한 개가 어떤 수를 나타내는지 먼저 알아야 합니다.

1 2학년 학생 수는 640−180−200=260(명)이고, 3학년 학생 수는
200명이므로 👤은 200÷4=50(명)을 나타냅니다.
1학년 학생 수는 180명이고 50+50+50+👤👤👤👤👤👤=180,
👤👤👤👤👤👤=30이므로 👤은 30÷6=5(명)을 나타냅니다.
따라서 2학년 학생 수 260명(=50+50+50+50+50+5+5)을
그림으로 나타내면 👤👤👤👤👤👤👤입니다.

해결 전략
합계를 이용하여 2학년 학생 수를 구한 다음 그림그래프를 완성합니다.

2 5반은 1반보다 6명 더 많으므로 👤👤👤−👤👤👤=6, 👤−👤👤=6,
👤−👤=3입니다. (👤, 👤) =(4, 1), (5, 2), (6, 3)……이고, 세 번째
조건에 의해 👤👤👤👤은 10을 넘지 못하므로 (👤, 👤) =(4, 1)입니다.

해결 전략
두 번째 조건을 보고 👤과 👤이 나타내는 수의 관계를 먼저 찾습니다.

반별 안경을 쓴 학생 수

반	1반	2반	3반	4반	5반
학생 수	6	㉠	㉡	10	12

2반과 3반 학생은 $40-28=12$(명)이고, 네 번째 조건에 의해
㉠=㉡×2이므로 ㉠+㉡=㉡×2+㉡=㉡×3=12, ㉡=4, ㉠=8
입니다.

따라서 ㉠=8=4+4= 이고, ㉡=4= 입니다.

보충 개념
㉡×2+㉡=㉡+㉡+㉡=㉡×3

최상위 사고력

1반에서 키가 130 cm를 넘는 남학생 수와 여학생 수가
＋ =12이므로 =4입니다.
2반에서 키가 130 cm를 넘는 남학생 수와 여학생 수가
＋ =4+4+ =9이므로 =1, =3입니다.
5반에서 키가 130 cm를 넘는 남학생 수와 여학생 수는
＋ =9+2=11입니다.
이것을 이용하여 알 수 있는 빈칸을 알맞게 채웁니다.

해결 전략
1반과 2반의 남학생 수와 여학생 수를 이용하여 두 종류의 그림이 나타내는 수를 각각 구합니다.

반별 키가 130 cm가 넘는 학생 수

반	1반	2반	3반	4반	5반	합계
학생 수(명)	12	9	11	11	11	54

보충 개념
합계를 이용하여 4반 학생 수를 구합니다.
(4반 학생 수)
$=54-12-9-11-11=11$

반별 키가 130 cm가 넘는 학생 수

남학생 수	반	여학생 수
5	1반	7
4	2반	5
㉠	3반	㉢
	4반	㉡
9	5반	2

3명 1명

㉠이 ㉡의 $\frac{1}{2}$이므로 ㉠×2=㉡이고, ㉠=1, 2, 3, 4……인 경우로
나누어 구합니다.
• ㉠=1, ㉡=2인 경우 ㉢=10입니다.
  ➡ 130 cm를 넘는 전체 여학생 수: $7+5+10+2+2=26$ (×)
• ㉠=2, ㉡=4인 경우 ㉢=9입니다.
  ➡ 130 cm를 넘는 전체 여학생 수: $7+5+9+4+2=27$ (×)
• ㉠=3, ㉡=6인 경우 ㉢=8입니다.
  ➡ 130 cm를 넘는 전체 여학생 수: $7+5+8+6+2=28$ (×)
• ㉠=4, ㉡=8인 경우 ㉢=7입니다.
  ➡ 130 cm를 넘는 전체 여학생 수: $7+5+7+8+2=29$ (○)
따라서 ㉠=4, ㉡=8입니다.

1 ②, ④

최상위 사고력 A   9권, 1권, 5권

최상위 사고력 B   9명

저자 톡! 그래프의 모양, 방향, 개수 등이 다양한 그래프를 알맞게 해석하고 그래프를 완성하는 내용입니다. 그래프의 가로와 세로가 어떤 항목을 나타내는지 주의하며 문제를 해결합니다.

1 ① 두 과목을 합쳐서 상호가 9+6=15(문제)로 가장 많이 맞혔습니다.

② 과학보다 수학을 더 많이 맞힌 학생은 민철, 경민, 상호로 3명입니다.

③ 두 과목에서 맞힌 문제 수의 차가 가장 큰 학생은 9−2=7(문제)인 경민입니다.

④ 수미는 과학에서 민철이보다 6−1=5(문제) 더 맞혔습니다.

⑤ 두 과목을 합쳐서 맞힌 문제 수가 10문제가 넘는 학생은 경민(11문제), 상호(15문제), 수미(12문제), 미호(14문제)로 4명입니다.

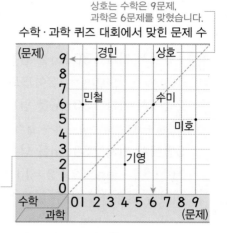

상호는 수학은 9문제, 과학은 6문제를 맞혔습니다.

점선을 중심으로 위쪽으로 점이 찍힌 경우는 수학 문제를 더 많이 맞혔습니다.

최상위 사고력 A

책을 민호는 2권, 명수는 10권, 지후는 8권 읽었고, 나머지 세 사람 승민, 기연, 상희는 35−2−10−8=15(권) 읽었습니다.

두 번째 조건에서 상희가 ☐권 읽었으면 승민이는 ☐+4권 읽었습니다.

두 번째 조건과 세 번째 조건을 이용하여 3명의 학생들이 책을 읽은 수를 표로 나타내어 구합니다.

상희	1	2	3	4	5
승민	5	6	7	8	9
기연	9	7	5	3	1

세 번째 조건에서 기연이가 책을 가장 적게 읽어야 하므로 2권 읽은 민호보다 적게 읽어야 합니다.

따라서 책을 승민이는 9권, 기연이는 1권, 상희는 5권 읽었습니다.

이번 달에 읽은 책의 수

가로 눈금 한 칸은 1권을 나타냅니다.

최상위 사고력 B

색깔별 좋아하는 남학생 수는 빨강 : 2명, 파랑 : 5명, 노랑 : 3명, 초록 : 5명입니다.

첫 번째 조건에서 보라를 좋아하는 남학생 수는 전체 남학생 수의 $\frac{1}{6}$이므로, 나머지 $\frac{5}{6}$는 빨강, 파랑, 노랑, 초록 4가지 색깔을 좋아하는 남학생 수입니다. 전체 남학생 수의 $\frac{5}{6}$가

2+5+3+5=15(명)이므로 전체 남학생 수의 $\frac{1}{6}$은 3명이고, 보라를 좋아하는 남학생 수는 3명입니다.

좋아하는 색깔별 학생 수

세로 눈금 한 칸은 1명을 나타냅니다.

색깔별 좋아하는 학생 수는 빨강: 7명, 파랑: 9명, 초록: 8명이므로
노랑 또는 보라를 좋아하는 학생 수는
$42-7-9-8=18$(명)입니다.
두 번째 조건에 따라 보라를 좋아하는 학생 수가 노랑을 좋아하는 학생 수의 2배이므로 노랑을 좋아하는 학생 수는 6명, 보라를 좋아하는 학생 수는 12명입니다.

노랑	4	5	6
보라	8	10	12
합계	12	15	18

따라서 보라를 좋아하는 남학생 수가 3명이므로 보라를 좋아하는
여학생 수는 $12-3=9$(명)입니다.

주의
42명은 남학생 수만 나타내는 것이 아니라
남·여학생 수를 모두 나타냅니다.

15-3. 그래프의 활용

146~147쪽

1 (1) 정수　(2) 10초　(3) 민혁, 40 m 지점　(4) 영호　　　최상위 사고력 ③, ⑤

저자 톡! 가로와 세로에 놓이는 항목에 주의하여 가로로 멀리 갈수록, 세로로 멀리 갈수록 그래프가 어떻게 변하는지 관찰하고 그 의미를 해석합니다.

1 (1) 위쪽 가로줄의 50 m에 가장 먼저 닿은 선은 초록색 선입니다.
　　따라서 가장 먼저 들어온 사람은 정수입니다.
　(2) 위쪽 가로줄의 50 m에 닿은 것은 아래쪽 가로줄이 10초일 때
　　입니다.
　(3) 민혁이는 40 m에서 움직이지 않으므로 넘어져서 못 일어났을
　　가능성이 큽니다.
　(4) 영호는 계속 2등으로 달렸습니다.

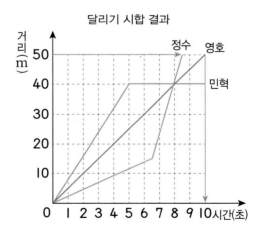

달리기 시합 결과

최상위 사고력 ① 남은 거리가 0일 때 걸리는 시간이 가장 적은 것은 B버스입니다.
　② 가로로 평행한 선이 버스가 멈춘 것이므로 C버스는 3번 멈췄습니다.
　③ B버스는 계속 일정한 빠르기로 달렸습니다.
　④ 가로로 평행한 선이 버스가 멈춘 것이고, 남은 거리가 0 m가 아니
　　므로 아직 중간에 서 있는 것입니다.
　⑤ 달린 거리는 시간이 0일 때 남은 거리가 같으므로 B버스와 C버스
　　가 달린 거리는 같습니다.

주의
그래프에서 세로축이 나타내는 거리는 버스의 이동거리가 아닌 남은 거리입니다.

1 ㉢, ㉡, ㉣, ㉠

2 999개, 798개

3 ③

4 (1)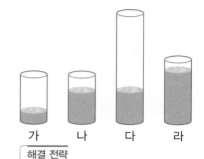

1 컵의 높이를 기준으로 그래프의 점을 비교하면 ㉣>㉠>㉡=㉢입니다.
 컵의 높이는 다>라>가=나이므로 다=㉣, 라=㉠입니다.
 물의 양을 기준으로 그래프의 점을 비교하면 ㉠>㉡=㉣>㉢입니다.
 물의 양은 라>나=다>가이므로 가=㉢입니다.
 따라서 나=㉡입니다.

2 사과는 1주: 234개, 2주: 311개, 4주: 132개 팔렸습니다.
 ① 가장 적게 팔린 사과의 수가 132개일 때
　 가장 많이 팔린 사과의 수: 132+190=322(개)
　 322>311이므로 3주에 사과가 322개로 가장 많이 팔렸습니다.
　 ➡ 4주 동안 팔린 사과는
　　 234+311+322+132=999(개)입니다.
 ② 가장 많이 팔린 사과의 수가 311개일 때
　 가장 적게 팔린 사과의 개수: 311−190=121(개)
　 121<132이므로 3주에 사과가 121개로 가장 적게 팔렸습니다.
　 ➡ 4주 동안 팔린 사과는
　　 234+311+121+132=798(개)입니다.
 따라서 4주 동안 팔린 사과의 수가 가장 많을 때는 999개이고 가장
 적을 때는 798개입니다.

해결 전략
가장 적게 팔린 사과의 수가 132개일 때와
가장 많이 팔린 사과의 수가 311개일 때로
나누어 생각합니다.

3 오른쪽은 물통을 3부분으로 나눈 것이고, 높이는 모두 같지만 들어가
 는 물의 양은 ㉠, ㉡, ㉢ 순서로 적습니다.
 ㉠, ㉡, ㉢에 일정하게 물을 채우면 다음과 같이 높이는 같으면서 들어
 가는 물의 양이 많을수록 물을 채우는 데 시간이 오래 걸립니다.

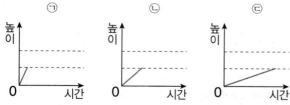

일정하게 물을 채우면 아래쪽부터 차게 되므로 그래프로 나타내면
오른쪽과 같습니다.

③

4 (1) 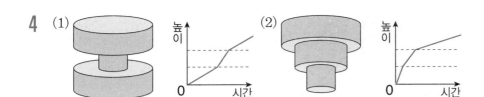 (2)

해결 전략
물통을 세 부분으로 나누어 들어가는 물의
양을 생각하여 그래프로 나타냅니다.

Review Ⅵ 확률과 통계

150~152쪽

1 ④

2 20문제

3 피아노

4 ③, ⑤

5 10명

6 4문제

1 ① 남학생 수: 3+5+2+3+4=17(명)

여학생 수: 4+3+7+1+6=21(명)

따라서 승우네 반 학생 수는 모두 17+21=38(명)입니다.

② 초록을 좋아하는 학생은 남학생 3명, 여학생 1명으로 4명입니다.

③ 승우네 반은 여학생이 21명, 남학생이 17명으로 여학생이 더 많습니다.

④ 학생들이 좋아하는 색깔별 학생 수는

빨강: 7명, 파랑: 8명, 노랑: 9명, 초록: 4명, 보라: 10명이므로

가장 많은 학생들이 좋아하는 색깔은 보라입니다.

⑤ 남학생의 수를 나타내는 막대가 여학생의 수를 나타내는 막대보다

긴 색깔은 파랑과 초록입니다.

해결 전략
세로 눈금 한 칸은 1명을 나타냅니다.

2 30문제를 모두 맞혔다고 생각하면 30×10=300(점)과 기본 점수

50점을 더해 350점을 얻을 수 있습니다. 틀린 문제 수를 1문제씩 늘

려가며 규칙을 찾습니다.

해결 전략
350점부터 틀린 문제 수를 1문제씩 늘려
가며 규칙을 찾습니다.

맞힌 문제 수	30	29	28	27	26	……
틀린 문제 수	0	1	2	3	4	……
기본 점수(점)	50	50	50	50	50	……
점수(점)	350	335	320	305	290	……

−15 −15 −15 −15

틀린 문제 수가 1문제씩 늘어날 때마다 얻은 점수가 15점씩 줄어들고

350점과 얻은 점수 200점의 차가 350−200=150(점)이므로

틀린 문제 수는 150÷15=10(문제)입니다.

따라서 맞힌 문제 수는 30−10=20(문제)입니다.

3 학생들이 연주할 수 있는 악기를 표로 그려 표시합니다.

악기 이름	바이 올린	플루트	피아노	기타
정우	○	○		
민수			○	○
희영	○	○		○
미라		○		

정우는 플루트를 연주할 수 없으므로 바이올린을 연주해야 합니다. 따라서 희영이는 바이올린을 연주할 수 없습니다.

미라는 플루트만 연주할 수 있으므로 나머지 학생들은 연주할 수 없습니다.

악기 이름	바이 올린	플루트	피아노	기타
정우	○	✗		
민수			○	○
희영	○	✗		○
미라		○		

희영이는 기타를 연주해야 하므로 민수는 기타를 연주할 수 없고 피아노를 연주해야 합니다.

악기 이름	바이 올린	플루트	피아노	기타
정우	○	✗		
민수			○	○
희영	✗	✗		○
미라		○		

악기 이름	바이 올린	플루트	피아노	기타
정우	○	✗		
민수			○	✗
희영	✗	✗		○
미라		○		

해결 전략
학생들이 연주할 수 있는 악기를 표로 그려 문제를 해결합니다.

4 ① 가로로 평행한 선은 음료수의 양이 줄어들지 않는 것을 말합니다. 가로로 평행한 선이 2개 있으므로 진아는 음료수를 중간에 2번 쉬었다 마신 것입니다.

② 가로로 평행한 선이 하나도 없으므로 동희는 한 번도 쉬지 않고 음료수를 마셨습니다.

③ 남은 음료수의 양이 0일 때 음료수를 다 마신 것입니다. 시간이 가장 적게 걸린 것은 민수이므로 민수가 음료수를 가장 빨리 마셨습니다.

④ 남은 음료수의 양이 0이 될 때까지의 시간이 오래 걸린 것이 음료수를 늦게 마신 것이므로 진아가 동희보다 늦게 마셨습니다.

⑤ 처음 남아 있는 음료수의 양은 높이가 모두 같으므로 음료수를 마신 양은 3사람이 모두 같습니다.

5 햇빛 마을에 사는 학생은 은빛 마을에 사는 학생보다 2명이 더 많으므로 ■■▲−■▲▲=■−▲=2입니다.

은빛 마을과 달빛 마을에 사는 학생은 8명이므로 ■▲▲+■=8, ■+▲=4입니다.

➡ ■=3, ▲=1

우리 반 학생은 모두 25명이므로 5+7+3+1+●=25, 16+●=25, ●=9입니다.

따라서 별빛 마을에 사는 학생은 ●▲=9+1=10(명)입니다.

6

해결 전략

조건3 → 조건4 → 조건2 순서로 생각합니다.

조건3 에 따라 5회와 6회에 맞힌 문제 수를 써넣습니다.

회	1회	2회	3회	4회	5회	6회
맞힌 문제 수					5	7

조건4 에 따라 2회에 맞힌 문제 수를 □라 하여 1회, 2회에 맞힌 문제 수를 써넣습니다.

회	1회	2회	3회	4회	5회	6회
맞힌 문제 수	□×3	□			5	7

조건2 에 따라 1회, 2회, 3회에 맞힌 문제 수가 모두 12문제이므로 4회에 맞힌 문제 수는 32−12−5−7=8(문제)입니다.

회	1회	2회	3회	4회	5회	6회
맞힌 문제 수	□×3	□		8	5	7

□=1, 2, 3인 경우로 나누어 표를 채워 봅니다.

회	1회	2회	3회	4회	5회	6회	
맞힌 문제 수	□×3	□		8	5	7	
	3	1	8	8	5	7	조건5 에 따라 3회와 4회에 맞힌 문제 수가 같을 수 없습니다.
	6	2	4	8	5	7	
	9	3	0	8	5	7	조건1 에 따라 3회에 맞힌 문제가 0개인 경우는 답이 아닙니다.

따라서 3회에 맞힌 문제 수는 4문제입니다.

01　6 cm

02　23×③⑤=80⑤

03　4428, 916

04　48그루

05　23, 51, 79

06　1

07　민수: 56 kg, 영진: 49 kg, 수현: 42 kg

08　$1\frac{5}{12}$, $\frac{16}{9}$, $\frac{15}{8}$, $1\frac{17}{18}$, $\frac{15}{6}$

09　3학년

10　30개

01　직사각형의 세로는 원의 지름과 같으므로 원의 지름은 10 cm, 원의
　　반지름은 5 cm입니다.

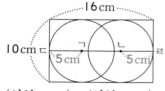

　　(선분 ㄱㄴ)=(선분 ㄷㄹ)－(선분 ㄷㄱ)－(선분 ㄴㄹ)
　　　　　　　　=16－5－5=6(cm)

해결 전략
직사각형의 세로를 이용하여 원의 반지름을
구합니다.

02　23×㉠㉡=80㉢이라고 하면
　　23×30=690이고, 23×40=920이므로 ㉠=3입니다.
　　23×31=690+23=713
　　23×32=713+23=736
　　23×33=736+23=759
　　23×34=759+23=782
　　23×35=782+23=805
　　따라서 ㉡=5, ㉢=5이므로 23×③⑤=80⑤입니다.

해결 전략
곱하는 수를 각각 간단히 어림한 후 계산합
니다.
690<80□<920
‖　　　　　‖
23×30　　23×40

03　가장 큰 곱을 만들려면 ①, ②, ③, ④의 순서로 가장 큰 수를 써넣어야
　　합니다.

　　②③　　　　　　5 4　　　　　②③④　　　　　5 4 2
　×①④　➡　　×8 2　　　　×　　①　➡　　×　　8
　　　　　　　　4 4 2 8　　　　　　　　　　　4 3 3 6

　　4428>4336이므로 가장 큰 곱은 4428입니다.
　　가장 작은 곱을 만들려면 ①, ②, ③, ④의 순서로 가장 작은 수를 써
　　넣어야 합니다.

　　②④　　　　　　4 8　　　　　②③④　　　　　4 5 8
　×①③　➡　　×2 5　　　　×　　①　➡　　×　　2
　　　　　　　　1 2 0 0　　　　　　　　　　　9 1 6

　　916<1200이므로 가장 작은 곱은 916입니다.

해결 전략
4장의 수 카드로 만들 수 있는 두 수의 곱은
(두 자리 수)×(두 자리 수),
(세 자리 수)×(한 자리 수)입니다. 두 가지
경우로 나누어 가장 큰 곱과 가장 작은 곱을
각각 구하여 서로 비교합니다.

04 둘레가 84 m인 호수 주위를 7 m 간격으로 나누면 $84 \div 7 = 12$(개)의 간격이 생기므로 심어야 하는 목련나무는 12그루입니다.
목련나무와 목련나무 사이에는 세 그루의 벚나무를 심어야 하므로 벚나무는 모두
(간격의 수)×(벚나무의 수)=$12 \times 3 = 36$(그루) 심어야 합니다.
따라서 호수 둘레에 심어야 하는 나무는 모두 $12 + 36 = 48$(그루)입니다.

해결 전략
원 위에서 일정한 간격으로 나무를 심을 때 간격의 수와 나무의 수는 같습니다.

05 세 번째 조건 100보다 작은 수 중에서 두 번째 조건 7로 나누면 나머지가 2인 수를 작은 수부터 차례로 구합니다.
2, 9, 16, 23, 30, 37, 44, 51, 58, 65, 72, 79, 86, 93
이 수 중에서 첫 번째 조건 4로 나누면 나머지가 3인 수를 찾으면 23, 51, 79입니다.
따라서 조건에 맞는 수는 23, 51, 79입니다.

해결 전략
세 번째 조건 → 두 번째 조건 → 첫 번째 조건의 순서로 생각합니다.

06

3을 곱한 횟수	1	2	3	4	5	6	7	8	……
일의 자리 숫자	3	9	7	1	3	9	7	1	……

일의 자리 숫자가 3, 9, 7, 1로 되풀이되는 규칙이 있습니다.
$200 \div 4 = 50$이므로 주어진 식의 계산 결과의 일의 자리 숫자는 3, 9, 7, 1 중에서 마지막 숫자 1입니다.
따라서 주어진 계산 결과를 5로 나눈 나머지는 1입니다.

해결 전략
3을 여러 번 곱한 수의 일의 자리 숫자의 규칙을 찾아봅니다.

07 첫 번째 저울과 두 번째 저울을 비교해 보면 민수가 영진이보다 7 kg 더 무겁습니다.
세 번째 저울에서 (민수의 몸무게)+(영진이의 몸무게)=105(kg),
(영진이의 몸무게)+7 kg+(영진이의 몸무게)=105(kg),
(영진이의 몸무게)×2=98(kg),
(영진이의 몸무게)=$98 \div 2 = 49$(kg)입니다.
두 번째 저울에서 (수현이의 몸무게)=$91 - 49 = 42$(kg)이고,
첫 번째 저울에서 (민수의 몸무게)=$98 - 42 = 56$(kg)입니다.
따라서 민수는 56 kg, 영진은 49 kg, 수현은 42 kg입니다.

해결 전략
첫 번째 저울과 두 번째 저울을 비교하여 민수가 영진보다 몇 kg 더 무거운지 구합니다.

다른 풀이
민수의 몸무게를 ㉠, 영진이의 몸무게를 ㉡, 수현이의 몸무게를 ㉢이라 하여 식을 세웁니다.
㉠+㉢=98 kg, ㉡+㉢=91 kg, ㉠+㉡=105 kg
세 저울의 무게를 더하면 (㉠+㉡+㉢)×2=294(kg), ㉠+㉡+㉢=147 kg입니다.
주어진 식을 이용하면 ㉠=$105 - 49 = 56$(kg), ㉡=$147 - 98 = 49$(kg),
㉢=$91 - 49 = 42$(kg)입니다.
따라서 민수는 56 kg, 영진은 49 kg, 수현은 42 kg입니다.

모두 대분수로 바꾸어 크기를 비교합니다.

$1\dfrac{7}{8}$, $1\dfrac{5}{12}$, $2\dfrac{3}{6}$, $1\dfrac{17}{18}$, $1\dfrac{7}{9}$

가장 큰 분수는 자연수 부분이 2인 $2\dfrac{3}{6}$입니다.

나머지 분수는 자연수 부분이 1로 모두 같으므로 진분수의 크기만
비교합니다.

$\dfrac{5}{12} < \dfrac{1}{2} < \dfrac{7}{9}$ — $\dfrac{1}{2}$을 기준으로 크기를 비교합니다.

$\dfrac{7}{9} < \dfrac{7}{8}$ — 분자가 같은 분수는 분모가 작을수록 더 큽니다.

$\dfrac{7}{8} < \dfrac{17}{18}$ — 분모, 분자의 차가 같은 분수는 분모와 분자가 클수록 더 큽니다.

따라서 $1\dfrac{5}{12} < \dfrac{16}{9} < \dfrac{15}{8} < 1\dfrac{17}{18} < \dfrac{15}{6}$입니다.

해결 전략
모두 대분수로 바꾸어 크기를 비교합니다.
자연수 부분이 같으면 진분수의 크기만 비교합니다.

09 승우는 1, 3학년이 아닙니다.

이름 \ 학년	1	2	3	4
승우	×		×	
민지				
태수				
아름				

민지는 2학년입니다.

이름 \ 학년	1	2	3	4
승우	×	×	×	○
민지	×	○	×	×
태수		×		×
아름		×		×

해결 전략
주어진 사실을 표로 나타내어 아름이가 몇 학년인지 구합니다.

태수는 3학년이 아닙니다.

이름 \ 학년	1	2	3	4
승우	×	×	×	○
민지	×	○	×	×
태수	○	×	×	×
아름	×	×	○	×

따라서 아름이는 3학년입니다.

10 진우가 처음 가지고 있던 사탕의 수를 그림를 그려 구해 봅니다.

• 진우는 동생에게 가진 사탕의 $\dfrac{2}{3}$보다 5개를 더 주었습니다.

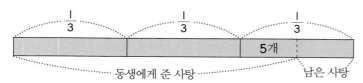

• 진우는 형에게 남은 사탕의 $\frac{3}{5}$보다 I개를 더 주었더니 사탕이

I개 남았습니다.

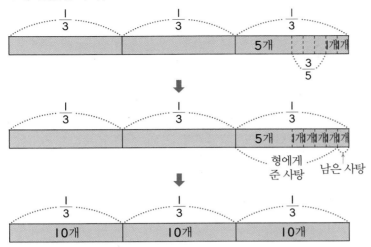

따라서 진우가 처음 가지고 있던 사탕은 모두 $10 \times 3 = 30$(개)입니다.

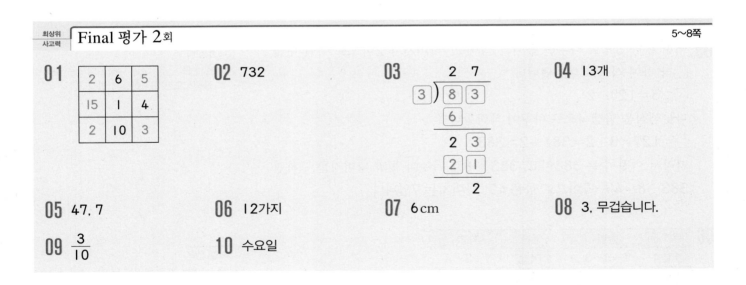

01

2	6	5
15	1	4
2	10	3

02 732

03

$$3 \overline{)\begin{array}{c} 2\ 7 \\ 8\ 3 \end{array}}$$
6
2 3
2 1
2

04 13개

05 47. 7

06 12가지

07 6 cm

08 3, 무겁습니다.

09 $\frac{3}{10}$

10 수요일

01 다음과 같이 각 줄에 있는 세 수의 곱이 60이 되도록 빈칸에 알맞은
수를 써넣습니다.

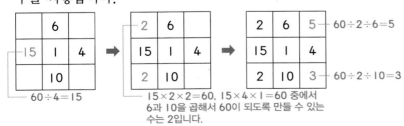

해결 전략
가로, 세로의 한 줄에 있는 세 수의 곱은
$6 \times 1 \times 10 = 60$입니다.

103 정답과 풀이

02 색칠한 부분의 수 중에 양끝 두 수의 합을 구하면 13+48=61입니다. 이와 같이 합이 61이 되도록 두 수씩 묶을 수 있습니다. 이 규칙을 이용하면 색칠한 수의 합은

(양끝의 수의 합)×(색칠한 수의 개수)÷2

=61×24÷2=1464÷2=732입니다.

해결 전략

수 배열표에서 반복되는 규칙을 찾아 곱을 이용하여 색칠한 수의 합을 구합니다.

03 ㉠~㉇ 순서로 □ 안에 알맞은 수를 구합니다.

① 나머지가 2이므로 ㉠은 2보다 커야 합니다.

2㉥−㉠×7=2이므로 ㉠은 4보다 작아야 합니다.

㉠=3

② 3×2=6, ㉡=6

③ ㉢−6=2, ㉢=8

④ 3×7=21, ㉣=2, ㉤=1

⑤ ㉥−1=2, ㉥=3, ㉇=3

$$
\begin{array}{r}
2\ 7 \\
㉠\,)\overline{\;㉢\;㉇\;} \\
㉡ \\
\hline
2\;㉥ \\
㉣\;㉤ \\
\hline
2
\end{array}
$$

04 원의 중심을 표시하여 차례로 세어 보면 13개입니다.

보충 개념

가장 큰 원의 중심 ➡ 1개

작은 원의 중심 ➡ 4개

원의 일부분만 그린 원의 중심 ➡ 8개

05 어떤 수를 3으로 나누면 몫이 127이고, 나머지가 2이므로 어떤 수를 □라 하여 식으로 나타냅니다.

□÷3=127…2

나눗셈식을 곱셈식으로 바꾸어 생각합니다.

□=127×3+2=381+2=383

따라서 어떤 수는 383이고, 383을 8로 나누어 몫과 나머지를 구하면

383÷8=47…7이므로 몫은 47, 나머지는 7입니다.

해결 전략

어떤 수를 □라 하여 나눗셈식으로 나타낸 후 곱셈식으로 바꾸어 생각합니다.

06

무게	방법	무게	방법
1g	7−3−3	11g	7+7−3
2g	×	12g	×
3g	3	13g	7+3+3
4g	7−3	14g	7+7
5g	×	15g	×
6g	3+3	16g	×
7g	7	17g	7+7+3
8g	7+7−3−3	18g	×
9g	×	19g	×
10g	7+3	20g	7+7+3+3

따라서 잴 수 있는 무게는 모두 12가지입니다.

해결 전략

잴 수 있는 가장 무거운 무게는 추 4개를 모두 한쪽에만 놓았을 때

7+7+3+3=20(g)이므로 1g부터 20g까지 잴 수 있는 무게를 찾아봅니다.

07 ①~③ 순서로 길이를 구합니다.

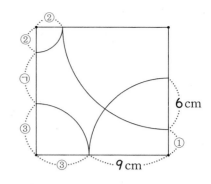

- 두 번째로 큰 원의 반지름은 $9\,\text{cm}$이므로 ①$=9-6=3(\text{cm})$입니다.
- 가장 큰 원의 반지름이 $15-3=12(\text{cm})$이므로 ②$=3\,\text{cm}$입니다.
- 정사각형의 한 변의 길이가 $15\,\text{cm}$이므로 ③$=15-9=6(\text{cm})$입니다.

따라서 정사각형의 한 변의 길이가 $15\,\text{cm}$이므로 ㉠$=15-3-6=6(\text{cm})$입니다.

08 두 번째 저울에서 ①, ②는 진짜 금화입니다.

세 번째 저울에서 ①, ②는 진짜 금화이므로 ③, ④ 중에 무게가 무거운 가짜 금화가 있습니다.

첫 번째 저울에서 ①은 진짜 금화이므로 무게가 무거운 가짜 금화는 ③입니다.

09 분모와 분자의 합이 같은 것끼리 묶으면 다음과 같습니다.

$$\left(\frac{1}{2}\right),\ \left(\frac{1}{3},\ \frac{2}{2}\right),\ \left(\frac{1}{4},\ \frac{2}{3},\ \frac{3}{2}\right)\cdots\cdots$$

묶음의 순서	1	2	3	4	5	……
묶음 안의 분모와 분자의 합	3	4	5	6	7	……
묶음 안의 수의 개수	1	2	3	4	5	……
묶음 안의 첫 번째 수	$\frac{1}{2}$	$\frac{1}{3}$	$\frac{1}{4}$	$\frac{1}{5}$	$\frac{1}{6}$	……

$1+2+3+4+\cdots\cdots+9+10=55$이므로 10번째 묶음까지 55개의 수가 나오고, 11번째 묶음의 3번째에 58번째 수가 나옵니다.

11번째 묶음의 분수는 분모와 분자의 합이 13이고, 첫 번째 수가 $\dfrac{1}{12}$이므로 11번째 묶음의 3번째 수는 $\dfrac{3}{10}$입니다.

해결 전략
분모와 분자의 합이 같은 것끼리 묶어서 생각합니다.
$$\left(\frac{1}{2}\right),\ \left(\frac{1}{3},\ \frac{2}{2}\right),\ \left(\frac{1}{4},\ \frac{2}{3},\ \frac{3}{2}\right)\cdots\cdots$$

10 같은 요일은 7일씩 되풀이되는 규칙을 이용합니다.

30일 후는 $30\div7=4\cdots2$이므로 2일 뒤이고, 31일 후는 $31\div7=4\cdots3$이므로 3일 뒤입니다.

크리스마스는 12월 25일이므로 6월 25일 화요일부터 매월 25일의 요일을 구하여 찾습니다.

따라서 같은 해 크리스마스는 수요일입니다.

MEMO

MEMO

MEMO

심화 완성 최상위 수학S, 최상위 수학

**개념부터
심화까지**

수학 좀 한다면

상위권의 힘, 사고력 강화

최상위 사고력

따라올 수 없는 자신감!
디딤돌 초등 라인업을 만나 보세요.

수준별 수학 기본서	디딤돌 초등수학 원리	3~6학년	교과서 기초 학습서
	디딤돌 초등수학 기본	1~6학년	교과서 개념 학습서
	디딤돌 초등수학 응용	3~6학년	교과서 심화 학습서
	디딤돌 초등수학 문제유형	3~6학년	교과서 문제 훈련서
	디딤돌 초등수학 기본+응용	1~6학년	한권으로 끝내는 응용심화 학습서
	디딤돌 초등수학 기본+유형	1~6학년	한권으로 끝내는 유형반복 학습서

상위권 수학 학습서	최상위 초등수학 S	1~6학년	심화 개념 · 심화 유형 학습서
	최상위 초등수학	1~6학년	심화 개념 · 심화 유형 학습서
	최상위 사고력	7세~초등 6학년	경시 · 영재 · 창의사고력 학습서
	3% 올림피아드	1~4과정	올림피아드 · 특목중 대비 학습서

연산학습 교재	최상위 연산은 수학이다	1~6학년	수학이 담긴 차세대 연산 학습서

국사과 기본서	디딤돌 초등 통합본(국어·사회·과학)	3~6학년	교과 진도 학습서

국어 독해력	디딤돌 독해력	1~6학년	수능까지 연결되는 초등국어 독해 훈련서